BEST EVER

WORDSEARCH

Discover your puzzle potential

igloobooks

igloobooks

Published in 2020
by Igloo Books Ltd
Cottage Farm
Sywell
NN6 0BJ
www.igloobooks.com

0320 002
2 4 6 8 10 9 7 5 3
ISBN 978-1-83852-196-7

Cover designed by Dave Chapman

Puzzle compilation, typesetting and design by:
Clarity Media Ltd, http://www.clarity-media.co.uk

Printed and manufactured in China

Contents

WORDSEARCH

No. 1 Dolphins

R	U	P	T	R	E	V	I	R	S	U	D	N	I	S
F	D	P	R	E	V	I	R	E	S	E	N	I	H	C
R	E	N	R	E	V	I	R	S	E	G	N	A	G	P
O	L	L	A	S	E	L	A	E	P	E	W	N	R	L
U	K	B	H	L	K	A	W	A	R	A	S	O	A	U
G	C	O	U	S	S	S	A	L	G	R	U	O	H	M
H	E	R	M	T	J	I	D	U	S	K	Y	R	R	B
T	P	N	B	R	O	A	D	B	E	A	K	E	D	E
O	S	E	F	I	I	S	Y	N	C	A	R	M	D	O
O	U	O	S	P	P	F	R	A	A	O	L	A	B	U
T	A	W	R	E	N	N	I	P	S	L	M	C	X	S
H	L	H	D	D	I	D	V	I	C	C	K	M	O	T
E	T	I	H	W	E	S	E	N	I	H	C	L	O	B
D	E	T	T	O	P	S	R	O	K	L	Q	V	A	N
E	S	E	D	I	S	I	V	A	E	H	L	I	O	F

BORNEO WHITE
BROAD BEAKED
CAMEROON
CHINESE RIVER
CHINESE WHITE
COMMON
DUSKY
FALKLAND ISLAND
GANGES RIVER
HEAVISIDE'S
HOURGLASS
INDUS RIVER
IRRAWADDY RIVER
PEALE'S
PLUMBEOUS
ROUGH-TOOTHED
SARAWAK
SPECKLED
SPINNER
SPOTTED
STRIPED

No. 2 Gemstones

```
F R P I I E V I P R P W M P C
I M I R Q F F T R H E A A X R
A F X O A U E E N I R T I C O
N O W S S L O B S I D I A N P
R N G L N Z A X F T I R Y E A
E A C A A I Q B I S N X A T L
A W G P P Z U T T E N R A G Y
I R O A Y S A C L M L Z O E H
Y T A T R N M I R E P S A J K
I T I I I Z A P E R I D O T S
R F A T T N R D I A M O N D U
W D E E E O I U M L Y R E B Y
F Z I R C O N B B D X T C U C
A K P A A M E T H Y S T E B A
S F B U K R M R K B H M X A O
```

AMBER
AMETHYST
APATITE
AQUAMARINE
BERYL
CARNELIAN
CITRINE

DIAMOND
EMERALD
GARNET
JASPER
OBSIDIAN
ONYX
OPAL

PEARL
PERIDOT
PYRITE
RUBY
TITANITE
TOPAZ
ZIRCON

WORDSEARCH

No. 3 Agatha Christie

R	R	T	O	O	T	H	E	B	U	R	D	E	N	N
I	S	K	C	O	L	C	E	H	T	Y	Z	A	P	O
D	S	A	D	C	Y	P	R	E	S	S	E	U	M	V
P	A	R	T	E	S	U	O	M	E	H	T	O	B	E
T	C	E	S	U	O	H	D	E	K	O	O	R	C	L
H	H	E	R	C	U	L	E	P	O	I	R	O	T	I
I	T	H	E	B	I	G	F	O	U	R	P	R	H	S
R	I	A	M	I	S	S	M	A	R	P	L	E	E	T
D	U	M	B	W	I	T	N	E	S	S	U	O	H	R
G	H	A	L	I	B	I	N	Y	A	U	Q	R	O	T
I	O	R	E	Z	S	D	R	A	W	O	T	A	L	C
R	E	N	D	L	E	S	S	N	I	G	H	T	L	O
L	O	U	P	L	A	Y	W	R	I	G	H	T	O	D
B	L	A	C	K	C	O	F	F	E	E	I	U	W	T
K	I	C	R	I	M	E	W	R	I	T	E	R	N	R

ALIBI	GIANT'S BREAD	THE BURDEN
BLACK COFFEE	HERCULE POIROT	THE CLOCKS
CRIME WRITER	MISS MARPLE	THE HOLLOW
CROOKED HOUSE	NOVELIST	THE MOUSETRAP
DAME	PLAYWRIGHT	THIRD GIRL
DUMB WITNESS	SAD CYPRESS	TORQUAY
ENDLESS NIGHT	THE BIG FOUR	TOWARDS ZERO

No. 4 Camera Terms

```
E G S N E L M O O Z G V T S P
R N T J O F A A D V G F I L M
U I W E U S L N C O I R A T G
T T N T R C T G D L P A R S T
R H V L A U B L T S U I T H U
E G G O L A S E P T C F R U K
P I K I L R R O O A F A O T P
A L S A L R S F P O C C P T B
Y K N T I T O V X X C S N E R
T C A S Z C N I E M E L N R V
E A P B U V I E W F I N D E R
A B S S S T E W I R L R E T L
Q B H S A L F Y R B A I R U O
F N O D A R K R O O M T S O C
W T T L R I P A N O R A M A R
```

AMBIENT LIGHT
ANGLE OF VIEW
APERTURE
AUTOFOCUS
BACKLIGHTING
BALANCE
DARKROOM
EXPOSURE
FILM
FILTER
FLASH
LANDSCAPE
LENS CAP
MIRROR
PANORAMA
PORTRAIT
SHUTTER
SNAPSHOT
TRIPOD
VIEWFINDER
ZOOM LENS

WORDSEARCH

No. 5 Getting Fit

T	P	V	E	I	S	T	I	U	R	F	A	S	O	O
A	K	H	E	A	L	T	H	C	L	U	B	D	H	I
D	O	O	F	H	S	E	R	F	Q	S	I	T	U	P
I	V	S	E	L	B	A	T	E	G	E	V	K	F	W
S	T	U	U	I	S	E	U	X	T	A	A	I	F	A
C	W	R	T	C	P	R	I	P	E	C	T	J	G	R
I	Y	I	A	L	I	K	L	R	A	T	H	D	E	M
P	L	C	M	I	N	A	O	F	S	F	A	I	U	I
L	U	O	L	M	N	B	T	U	T	E	Q	R	N	N
I	P	S	Y	I	I	I	S	T	E	P	P	I	N	G
N	N	P	S	C	N	N	N	E	G	U	S	L	C	U
E	T	K	S	E	G	G	G	G	R	A	M	J	X	P
G	N	I	W	O	R	T	T	K	A	A	E	U	J	S
T	N	A	R	I	R	P	H	R	T	O	N	I	N	G
D	A	N	C	I	N	G	N	I	G	G	O	J	Z	Y

AEROBICS
CYCLING
DANCING
DIET PLAN
DISCIPLINE
FRESH FOOD
FRUITS
HEALTH CLUB
JOGGING
PRESS-UP
ROWING
SIT-UP
SPINNING
STEPPING
STRETCHING
SWIMMING
TARGETS
TONING
TRAINING
VEGETABLES
WARMING UP

No. 6 Manchester City Players

H	R	S	K	K	V	K	A	M	B	G	N	C	E	R
P	R	F	U	E	T	L	O	U	U	J	U	K	I	J
G	P	D	E	L	P	H	H	N	P	E	O	H	Z	L
K	O	L	A	R	O	V	N	Z	U	M	P	R	A	A
T	K	O	S	A	N	E	I	V	P	I	L	P	G	F
Z	Y	F	U	P	C	A	D	A	G	I	S	U	N	Y
I	A	H	R	D	C	G	N	I	L	R	E	T	S	B
O	B	B	C	S	E	Y	A	D	A	R	N	S	A	S
S	D	R	A	I	C	B	N	P	O	N	O	D	V	U
C	A	B	A	L	L	E	R	O	S	I	T	R	A	G
Q	E	O	T	V	E	C	E	U	S	Q	S	S	N	U
O	R	L	V	A	O	T	F	V	Y	L	D	N	S	K
V	U	Z	S	A	G	N	A	T	Q	N	P	O	T	L
N	O	L	I	T	O	H	C	A	N	A	E	H	I	T
G	T	T	A	O	S	O	T	U	A	I	O	S	D	X

AGUERO
BRAVO
CABALLERO
CLICHY
DE BRUYNE
DELPH
FERNANDINHO
FERNANDO
GUNN
IHEANACHO
KOLAROV
KOMPANY
NAVAS
NOLITO
SAGNA
SANE
SILVA
STERLING
STONES
TOURE
ZABALETA

No. 7 'I' Words

V D G I L S I P M S I S K T Z
O U T O M N I T K L M R X B T
Y G J C C A E L L A P L O U A
I L I L A O G N S S O F K O D
W N U D P P E E B R R U S R Q
E D V W N S M B I L T I W P I
E L B I S I V I D N I I A U A
S A B V S O N B G I D M N P E
O C P I W I L M C N H E B Q T
P I S I S A B I A T O Y X U P
M T Q G O S N L L N R R E S E
I N O L G G O E E A Z S E V P
D E M O C N I P H F I T S U T
O D Z O F O A M M N L J O F B
L I E I I L L U S I O N I L U

ICING	IMAGE	INCLUDE
IDENTICAL	IMBIBE	INCOME
IDOL	IMBUE	INDEX
IGLOO	IMPACT	INDIGO
IGNORE	IMPORT	INDIVISIBLE
ILLNESS	IMPOSE	INFANT
ILLUSION	IMPOSSIBLE	INVISIBLE

No. 8 Fireworks Night

W	H	O	O	S	H	I	J	F	R	I	T	R	R	J
L	E	E	H	W	E	N	I	R	E	H	T	A	C	L
S	M	D	F	E	V	I	S	O	L	P	X	E	B	L
S	C	U	A	O	P	P	A	Y	D	R	C	R	O	P
G	O	O	L	C	E	F	O	U	N	T	A	I	N	T
G	Q	N	L	T	O	L	R	T	A	T	S	A	F	W
S	R	G	O	O	I	R	K	Y	C	A	C	L	I	H
U	R	U	U	V	U	C	B	C	N	X	A	R	R	R
S	O	Y	T	N	E	R	O	O	A	H	D	E	E	N
S	Y	F	Z	E	P	M	S	L	M	R	E	P	A	I
A	S	A	O	I	K	O	B	E	O	E	C	E	O	Q
F	I	W	N	W	E	C	W	E	R	U	B	A	O	J
E	O	K	E	C	L	Q	O	D	R	S	R	T	S	H
T	N	E	M	N	I	A	T	R	E	T	N	E	I	M
Y	U	S	P	A	R	K	L	E	R	R	O	R	D	R

AERIAL REPEATER
BONFIRE
BROCADE
CASCADE
CATHERINE WHEEL
COLOURS
CRACKLE
ENTERTAINMENT
EXPLOSIVE
FALLOUT ZONE
FOUNTAIN
GUNPOWDER
GUY FAWKES
MULTI-COLOURED
NOISY
NOVEMBER
ROCKET
ROMAN CANDLE
SAFETY
SPARKLER
WHOOSH

No. 9 Snooker Stars

I	L	T	A	E	R	E	C	N	E	P	S	X	T	U
Z	H	E	N	D	R	Y	O	J	T	N	U	O	M	P
Q	S	W	A	I	L	W	A	T	T	A	N	A	A	E
T	T	D	B	B	S	T	T	O	R	R	A	P	H	E
T	C	D	L	O	Y	Y	H	P	R	U	M	S	G	K
R	W	A	J	U	N	H	U	I	T	A	C	Y	N	P
S	L	T	R	R	O	D	S	W	G	E	M	O	I	S
O	S	O	A	T	E	F	O	U	A	G	W	Q	B	T
A	T	W	R	U	E	I	I	H	L	L	I	G	C	M
J	S	U	I	T	Q	R	S	L	E	T	D	N	R	Y
E	M	S	S	M	E	D	A	S	L	R	O	E	S	A
P	S	R	V	G	X	F	U	A	A	A	T	K	N	W
R	P	S	E	O	P	V	O	V	D	O	O	Y	W	Z
Z	C	S	S	N	I	D	X	O	T	D	Z	B	A	S
M	T	P	A	O	P	C	S	G	J	Y	S	S	G	W

BINGHAM
BOND
CARTER
DALE
DOHERTY
FOULDS
HENDRY
HIGGINS
JUNHUI
KNOWLES
MAGUIRE
MCGILL
MCMANUS
MOUNTJOY
MURPHY
PARROTT
SPENCER
SWAIL
TRUMP
WALDEN
WATTANA

No. 10 South Africa

A	K	E	T	N	E	L	S	P	R	U	I	T	T	A
A	H	J	X	S	P	A	P	A	L	A	M	R	O	J
X	I	P	O	R	T	E	L	I	Z	A	B	E	T	H
Y	G	P	M	H	U	N	K	L	R	R	T	S	E	T
E	H	E	T	V	A	W	W	I	L	U	B	E	W	P
L	V	R	A	A	U	N	O	O	X	S	R	D	O	J
R	E	A	A	S	I	N	N	N	T	T	C	B	S	I
E	L	W	C	F	I	R	A	E	A	E	R	I	V	A
B	D	S	I	S	R	Y	O	B	S	N	P	M	S	H
M	I	D	L	L	R	I	J	T	R	B	N	A	U	S
I	P	A	V	O	D	E	K	K	E	U	U	N	C	I
K	N	R	Z	R	C	L	P	A	T	R	D	R	J	L
D	O	S	A	F	A	R	I	O	A	G	P	Y	G	G
P	S	J	B	L	O	E	M	F	O	N	T	E	I	N
S	T	S	A	O	C	F	T	L	E	C	S	O	I	E

AFRIKAANS	HIGHVELD	NELSPRUIT
BLOEMFONTEIN	JOHANNESBURG	PORT ELIZABETH
CAPE TOWN	KIMBERLEY	PRETORIA
COASTS	LION	RUSTENBURG
COOPERS CAVE	MALAPA	SAFARI
DURBAN	MARION ISLAND	SOWETO
ENGLISH	NAMIB DESERT	WILDLIFE

WORDSEARCH

No. 11 Prime Ministers

D	N	C	A	N	N	I	N	G	A	P	L	L	P	O
S	I	O	H	P	H	C	Q	A	A	L	L	D	C	T
G	W	S	R	U	V	M	O	B	A	L	F	O	U	R
L	D	R	R	E	R	R	I	H	M	Z	T	P	U	Q
O	L	Y	L	A	M	C	P	E	U	S	L	S	N	W
Y	A	L	M	T	E	A	H	W	I	L	S	O	N	A
M	B	Q	U	S	O	L	C	I	G	E	R	T	S	L
P	L	G	R	E	N	V	I	L	L	E	R	S	T	P
F	A	F	R	V	E	T	A	L	B	L	J	P	E	O
R	I	Z	U	G	X	D	K	M	T	A	E	R	T	L
B	R	O	W	N	S	U	P	E	E	L	C	A	L	E
A	P	E	U	T	H	A	T	C	H	E	R	U	V	I
Q	G	M	O	L	Z	L	G	A	V	R	C	A	U	A
U	O	N	R	O	J	A	M	A	S	Q	U	I	T	H
T	E	E	L	T	T	A	L	L	A	G	A	I	J	I

ASQUITH
ATTLEE
BALDWIN
BALFOUR
BLAIR
BROWN
CAMERON
CANNING
CHURCHILL
DISRAELI
GLADSTONE
GRENVILLE
MAJOR
MAY
PEEL
PELHAM
PERCEVAL
RUSSELL
THATCHER
WALPOLE
WILSON

WORDSEARCH

No. 12 The Colour Blue

V	M	A	K	W	O	A	T	C	T	I	L	B	Z	U
X	I	D	N	O	B	R	W	E	E	F	E	R	O	K
U	L	R	A	S	R	L	B	U	A	L	L	A	L	I
D	S	R	I	I	K	C	E	R	U	L	E	A	N	V
A	A	Z	B	D	E	N	I	M	R	D	C	S	N	L
W	R	A	M	M	I	D	N	I	G	H	T	T	T	E
U	R	S	U	R	S	A	P	P	H	I	R	E	L	E
U	A	D	L	O	O	U	N	C	R	Z	I	W	K	T
P	E	T	O	N	M	E	O	I	T	P	C	R	Z	S
A	Y	G	C	R	N	B	P	C	L	L	P	X	I	K
E	P	P	U	R	A	R	T	O	U	O	M	J	L	S
P	K	L	T	L	V	C	S	C	W	A	R	R	G	I
A	A	O	T	A	Y	R	B	D	Y	U	L	A	P	Q
X	W	J	L	A	O	R	E	A	K	A	T	G	C	V
Y	T	L	W	N	G	R	W	R	S	F	N	I	S	L

BONDI
CAROLINA
CELESTE
CERULEAN
COBALT
COLUMBIA
CYAN
DENIM
ELECTRIC
ETON
GLAUCOUS
IRIS
MAYA
MIDNIGHT
NAVY
POWDER
SAPPHIRE
SKY
STEEL
TEAL
VIRIDIAN

WORDSEARCH

No. 13 World Capitals

F	U	M	I	A	R	O	A	T	Y	R	R	C	L	M
E	B	I	E	F	K	S	M	C	L	W	M	S	K	X
T	I	S	L	U	F	O	T	T	A	W	A	P	L	H
A	S	A	H	S	N	I	K	T	A	I	D	I	U	H
I	G	N	X	P	F	O	D	G	H	H	R	J	G	G
H	N	T	A	X	W	F	D	R	N	Q	I	O	R	D
L	I	I	B	O	R	I	A	N	A	A	D	P	U	C
E	J	A	K	A	R	T	A	I	O	C	B	B	Q	S
D	I	G	R	I	N	F	A	M	I	L	L	S	N	A
W	E	O	X	A	I	N	O	B	S	I	L	J	S	X
E	B	Y	Y	W	K	C	E	T	N	I	P	P	O	G
N	M	L	S	K	S	N	Q	I	K	Z	R	W	O	T
R	A	O	C	I	O	N	A	H	V	L	S	A	R	P
L	U	D	R	E	R	T	R	Z	F	M	B	Q	P	Z
Q	R	D	S	X	V	H	V	I	A	T	P	S	W	V

ANKARA
BANGKOK
BEIJING
CAIRO
CARDIFF
DUBLIN
HANOI
JAKARTA
KINSHASA
LIMA
LISBON
LONDON
MADRID
NAIROBI
NEW DELHI
OTTAWA
PARIS
ROME
SANTIAGO
TOKYO
VIENNA

No. 14 Steam Train Parts

G	E	N	E	R	A	T	O	R	Q	J	T	B	O	U
B	L	R	A	T	D	K	R	I	R	Q	V	A	D	S
A	E	Z	E	A	A	R	R	E	L	I	O	B	R	S
C	K	P	P	K	A	L	G	E	D	W	F	X	D	I
U	E	I	I	C	O	U	P	L	I	N	G	V	U	S
I	P	M	R	P	L	T	R	T	X	G	I	O	U	S
K	M	E	A	A	T	A	S	E	O	F	O	L	E	A
F	U	M	T	R	E	A	C	H	R	O	D	B	Y	H
S	P	O	S	R	F	G	O	B	U	F	F	E	R	C
U	R	D	L	I	N	J	E	C	T	O	R	C	W	E
E	I	D	C	A	A	P	P	V	I	G	U	T	D	U
S	A	N	D	B	O	X	E	T	L	T	B	T	E	G
T	W	A	S	A	U	C	L	N	R	A	T	T	Z	O
A	A	S	A	F	E	T	Y	V	A	L	V	E	I	A
X	O	B	E	K	O	M	S	A	Q	Y	R	U	P	A

AIR PUMP
BOGIE
BOILER
BUFFER
CHASSIS
COAL
COUPLING
CYLINDER
FOOTPLATE
FRAME
GENERATOR
INJECTOR
PETTICOAT PIPE
REACH ROD
REGULATOR
SAFETY VALVE
SAND DOME
SANDBOX
SMOKEBOX
STOKER
VALVE GEAR

WORDSEARCH

No. 15 In The Fruit Bowl

I	C	C	O	A	E	Y	B	D	T	T	C	G	C	C
S	I	P	S	E	N	I	T	N	E	M	E	L	C	X
O	S	L	S	B	L	A	C	K	B	E	R	R	Y	E
E	I	F	N	B	V	D	N	F	F	L	E	C	R	L
R	A	G	E	O	I	L	E	A	D	P	S	R	R	T
S	T	R	C	T	L	R	E	R	N	P	T	A	E	B
J	R	A	H	C	A	E	P	M	B	A	F	N	H	U
Y	D	P	U	P	L	U	M	S	O	E	B	B	C	Q
O	E	E	I	Q	D	A	M	S	O	N	R	E	F	D
R	S	F	T	C	M	A	N	G	O	I	J	R	D	S
A	A	T	Q	A	R	U	D	T	E	P	C	R	Y	A
N	E	K	L	I	D	D	K	T	L	L	T	Y	S	O
G	U	A	V	A	H	T	Q	C	Z	I	T	X	S	X
E	M	I	L	U	T	V	L	R	X	O	S	T	T	H
K	J	E	S	E	J	T	L	C	X	O	H	O	P	X

AVOCADO
BANANA
BILBERRY
BLACKBERRY
CHERRY
CLEMENTINE
CRANBERRY

DAMSON
DATE
ELDERBERRY
GRAPE
GUAVA
KUMQUAT
LEMON

LIME
MANGO
MELON
ORANGE
PEACH
PINEAPPLE
PLUM

No. 16 Golf

Y	T	E	S	N	M	I	I	U	D	E	D	H	G	X
T	T	K	A	K	R	Y	M	J	U	R	S	R	S	O
V	Z	M	K	I	M	G	D	E	T	T	L	C	B	E
A	H	T	P	X	P	O	A	P	T	K	I	Z	W	O
F	P	E	L	D	I	I	S	E	K	F	T	S	P	T
A	X	R	R	E	H	E	I	D	R	I	B	S	N	W
T	D	O	O	W	C	D	F	A	D	E	L	A	B	A
P	P	H	A	N	D	I	C	A	P	R	C	L	U	B
A	R	T	L	A	I	Z	L	X	G	R	I	F	N	D
B	N	U	C	R	M	V	P	S	N	R	U	V	K	U
D	T	A	O	J	P	F	O	U	R	S	O	M	E	S
O	U	N	R	A	L	L	H	O	T	W	N	A	R	R
S	G	J	R	R	E	H	U	O	U	T	G	U	E	W
A	Z	Z	S	A	S	G	T	F	O	L	O	P	O	S
V	F	T	J	Y	H	T	Z	L	E	K	R	Y	G	C

APRON
BIRDIE
BUNKER
CADDIE
CHIP
CLUB
DIMPLES
DRIVE
DROP
EAGLE
FADE
FOURSOMES
HANDICAP
HOOK
IRON
LOFT
PAR
PUTT
ROUGH
SLICE
WOOD

WORDSEARCH

No. 17 Coronation Street Characters

T	M	A	R	Y	T	A	Y	L	O	R	S	S	O	G
R	B	X	T	S	A	R	A	H	P	L	A	T	T	Y
U	R	T	G	S	B	B	O	D	E	N	O	R	Y	T
V	I	K	N	I	C	K	T	I	L	S	L	E	Y	P
S	T	E	P	H	B	R	I	T	T	O	N	B	E	P
D	A	V	I	D	P	L	A	T	T	T	J	O	C	E
W	S	I	N	E	A	D	T	I	N	K	E	R	I	T
O	U	N	G	A	I	L	M	C	I	N	T	Y	R	E
L	L	W	O	L	R	A	B	N	E	K	L	E	P	R
R	L	E	R	E	P	P	O	R	C	Y	O	R	A	B
A	I	B	R	N	A	H	A	L	A	V	E	D	V	A
B	V	S	E	A	N	T	U	L	L	Y	Y	U	E	R
Y	A	T	S	S	A	D	N	I	W	Y	R	A	G	L
M	N	E	L	O	C	S	I	R	R	O	N	I	T	O
A	T	R	A	C	Y	B	A	R	L	O	W	T	G	W

AMY BARLOW
AUDREY ROBERTS
DAVID PLATT
DEV ALAHAN
EVA PRICE
GAIL MCINTYRE
GARY WINDASS
KEN BARLOW
KEVIN WEBSTER
MARY TAYLOR
NICK TILSLEY
NORRIS COLE
PETER BARLOW
RITA SULLIVAN
ROY CROPPER
SARAH PLATT
SEAN TULLY
SINEAD TINKER
STEPH BRITTON
TRACY BARLOW
TYRONE DOBBS

No. 18 In Hospital

R	T	T	T	L	R	O	J	C	O	O	A	O	D	V
S	I	S	O	N	G	A	I	D	O	C	T	O	R	I
S	T	S	I	G	O	L	O	I	D	R	A	C	I	S
N	R	S	X	L	S	L	K	K	S	C	Y	T	P	I
W	O	Y	I	P	A	I	N	P	A	T	I	E	N	T
T	S	I	R	T	A	I	H	C	Y	S	P	T	E	O
N	G	A	T	E	E	T	C	J	L	K	S	E	U	R
A	A	R	R	C	V	H	H	E	U	W	W	C	R	S
T	L	Q	A	A	E	O	T	O	P	R	I	H	O	U
L	G	N	T	P	T	J	C	S	L	S	B	N	L	O
U	S	U	R	G	E	O	N	E	E	O	L	I	O	T
S	V	A	N	U	R	S	E	I	R	A	G	C	G	O
N	T	R	A	N	S	F	U	S	I	O	N	I	I	U
O	P	E	R	A	T	I	O	N	B	V	R	A	S	R
C	T	T	J	O	U	T	P	A	T	I	E	N	T	T

ANAESTHETIST
CARDIOLOGIST
CONSULTANT
DIAGNOSIS
DOCTOR
DRIP
GRAPES
INJECTION
INPATIENT
NEUROLOGIST
NURSE
OPERATION
OUTPATIENT
PATHOLOGIST
PSYCHIATRIST
RECOVERY
SPECIALIST
SURGEON
TECHNICIAN
TRANSFUSION
VISITORS

WORDSEARCH

No. 19 Cold Drinks

G	R	U	R	U	R	A	L	R	O	U	X	O	M	M
R	P	G	V	C	O	L	A	E	T	D	E	C	I	L
A	E	R	J	T	T	B	U	A	N	T	N	N	L	Z
P	D	T	A	P	W	A	T	E	R	I	E	P	K	R
E	A	O	H	T	Q	N	U	I	Q	R	W	O	S	A
F	N	M	S	C	O	R	D	I	A	L	R	R	W	L
R	O	A	A	D	A	I	A	L	S	A	S	A	C	S
U	M	T	U	L	N	C	W	M	N	G	B	N	L	Z
I	E	O	Q	P	L	A	O	G	P	E	U	G	U	P
T	L	J	S	P	T	O	E	C	E	R	E	E	B	S
J	T	U	T	E	T	J	R	M	K	C	Y	A	R	H
U	Z	I	R	H	U	H	C	Z	I	T	B	D	G	N
I	I	C	I	I	C	R	M	D	S	L	A	E	O	K
C	S	E	C	I	U	J	E	L	P	P	A	I	P	T
E	U	E	D	A	Y	R	R	E	H	C	O	K	L	W

APPLE JUICE
BEER
CHERRYADE
CIDER
COCKTAIL
COLA
CORDIAL
GRAPEFRUIT JUICE
ICED TEA
LAGER
LEMONADE
LIME AND SODA
MILK
MINERAL WATER
ORANGE JUICE
ORANGEADE
SMOOTHIE
SQUASH
TAP WATER
TOMATO JUICE
WINE

WORDSEARCH

No. 20 Types Of Tea

P	R	G	T	I	K	F	U	U	A	Q	F	R	R	Y
X	G	D	N	R	A	P	V	A	R	U	N	L	A	H
I	R	H	N	I	E	H	H	I	J	Z	N	T	R	R
T	E	M	R	A	L	O	C	I	R	Q	J	T	I	R
C	E	Y	L	O	N	E	A	A	P	T	P	B	T	Z
G	N	O	L	O	O	N	E	A	L	D	R	D	W	I
E	T	I	H	W	J	I	U	J	P	A	S	S	A	M
J	U	U	G	A	O	X	B	Y	R	U	S	E	C	A
W	R	B	L	A	P	E	N	O	L	A	E	A	A	G
O	K	Y	L	R	L	Y	S	J	S	D	D	R	M	D
P	I	A	E	T	R	E	T	T	U	B	F	L	H	Y
S	S	S	R	D	H	G	I	N	S	E	N	G	S	F
P	H	I	B	I	S	C	U	S	E	S	D	R	E	T
U	L	H	P	E	A	C	O	C	K	M	Z	E	E	H
R	M	P	A	U	N	T	O	R	U	K	O	Y	G	U

ASSAM
BUTTER TEA
CEYLON
DARJEELING
EARL GREY
FUJIAN
GINSENG
GREEN
GYOKURO
HIBISCUS
MASALA CHAI
NEPAL
OOLONG
PEACOCK
PHOENIX EYE
PU-ERH
ROOIBOS
ROSE HIP
TURKISH
WHITE
YUNNAN

WORDSEARCH

No. 21 Stevie Wonder Songs

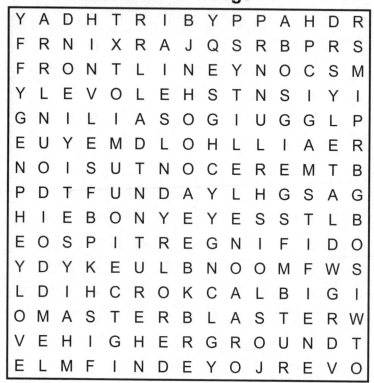

Y	A	D	H	T	R	I	B	Y	P	P	A	H	D	R
F	R	N	I	X	R	A	J	Q	S	R	B	P	R	S
F	R	O	N	T	L	I	N	E	Y	N	O	C	S	M
Y	L	E	V	O	L	E	H	S	T	N	S	I	Y	I
G	N	I	L	I	A	S	O	G	I	U	G	G	L	P
E	U	Y	E	M	D	L	O	H	L	L	I	A	E	R
N	O	I	S	U	T	N	O	C	E	R	E	M	T	B
P	D	T	F	U	N	D	A	Y	L	H	G	S	A	G
H	I	E	B	O	N	Y	E	Y	E	S	S	T	L	B
E	O	S	P	I	T	R	E	G	N	I	F	I	D	O
Y	D	Y	K	E	U	L	B	N	O	O	M	F	W	S
L	D	I	H	C	R	O	K	C	A	L	B	I	G	I
O	M	A	S	T	E	R	B	L	A	S	T	E	R	W
V	E	H	I	G	H	E	R	G	R	O	U	N	D	T
E	L	M	F	I	N	D	E	Y	O	J	R	E	V	O

BLACK ORCHID
CONTUSION
DO I DO
EBONY AND IVORY
EBONY EYES
FINGERTIPS
FRONT LINE
FUN DAY
HAPPY BIRTHDAY
HEY LOVE
HIGHER GROUND
HOLD ME
I GO SAILING
I WISH
IF IT'S MAGIC
ISN'T SHE LOVELY
LATELY
MASTER BLASTER
MOON BLUE
MY GIRL
OVERJOYED

No. 22 Words That Rhyme With 'Crane'

A	N	I	N	T	G	C	N	T	T	G	A	E	S	W
A	I	I	I	R	X	P	M	T	D	E	T	A	I	N
C	A	P	A	I	N	P	E	N	A	P	T	L	W	R
O	T	P	D	L	N	I	A	R	G	R	A	H	J	N
R	R	B	S	Q	P	I	O	B	T	A	I	N	Z	I
R	E	Y	I	C	N	M	E	T	H	A	N	E	I	A
V	T	G	D	S	Y	G	O	Q	P	D	I	V	L	B
Q	N	O	A	H	S	Z	I	C	T	O	A	N	C	R
T	E	N	E	I	C	A	N	E	H	A	H	I	M	F
I	E	X	V	V	N	I	A	M	R	R	C	A	F	A
T	G	L	P	A	J	I	Q	V	P	P	N	T	M	X
R	X	S	P	L	S	K	A	O	A	E	I	S	V	B
B	T	Y	E	F	A	J	H	R	A	B	K	U	S	R
P	A	S	A	U	G	I	K	Y	B	X	L	S	A	A
C	P	R	J	Y	A	Z	N	Z	I	T	W	A	O	G

ATTAIN
BRAIN
CANE
CHAIN
COMPLAIN
DETAIN
DISDAIN

ENTERTAIN
EXPLAIN
GRAIN
INSANE
MAIN
MANE
METHANE

OBTAIN
PAIN
PANE
PERTAIN
REGAIN
REIGN
SUSTAIN

WORDSEARCH

No. 23 Be In Control

A	S	C	E	N	D	A	N	C	Y	O	E	P	Y	O
U	N	N	C	N	O	I	T	A	L	U	G	E	R	D
R	R	O	M	O	I	O	N	C	Y	Z	O	C	D	O
T	M	I	I	I	M	L	U	F	E	L	K	R	N	M
N	O	T	N	T	G	P	P	I	L	R	S	O	A	I
E	O	C	O	C	A	Y	O	I	T	U	I	F	M	N
M	S	I	I	I	V	L	T	S	C	I	E	D	M	A
E	N	R	S	D	Y	P	U	I	U	S	A	N	O	N
G	P	T	I	S	R	U	O	P	R	R	I	L	C	C
A	L	S	V	I	E	L	L	W	I	O	E	D	D	E
N	A	E	R	R	T	R	C	U	E	N	H	Q	Q	G
A	T	R	E	U	S	U	P	S	C	R	A	T	I	T
M	P	K	P	J	A	S	S	P	L	T	R	M	U	T
I	P	A	U	L	M	R	A	R	U	L	E	Q	A	A
Y	L	R	S	T	N	I	A	R	T	S	N	O	C	H

ASCENDANCY
AUTHORITY
CLOUT
COMMAND
COMPOSURE
CONSTRAINT
DIRECT
DISCIPLINE
DOMINANCE
FORCE
INFLUENCE
JURISDICTION
MANAGEMENT
MANIPULATION
MASTERY
POWER
REGULATION
RESTRICTION
RULE
SUPERVISION
SUPPRESSION

WORDSEARCH

No. 24 Italian Musical Terms

M	R	A	L	A	V	J	U	O	L	E	I	P	L	C
J	S	O	S	R	H	I	P	I	T	E	K	E	U	X
C	T	T	W	I	G	A	I	G	M	A	Y	F	S	B
A	O	R	G	E	L	L	A	G	G	J	M	H	A	D
V	I	R	E	T	V	N	N	E	L	A	K	I	O	N
A	G	L	Q	T	D	S	O	P	E	E	F	S	N	C
T	Z	F	G	A	O	P	E	R	A	B	U	F	F	A
I	O	N	N	A	A	I	S	A	T	N	A	F	O	P
N	A	T	E	O	T	L	A	R	T	N	O	C	J	R
A	E	P	A	D	T	T	A	M	E	L	N	R	E	I
R	A	G	R	R	A	N	A	C	L	G	A	K	C	C
F	T	K	B	E	E	C	E	B	A	K	R	S	A	C
M	E	U	W	H	S	D	X	L	B	D	P	H	V	I
C	O	N	C	E	R	T	O	R	A	T	O	R	I	O
L	E	K	U	V	H	S	O	M	C	T	S	R	V	R

ALLEGRO
ANDANTE
ANIMATO
ARIETTA
ARPEGGIO
BATTAGLIA
CABALETTA
CADENZA
CAPRICCIO
CAVATINA
CONCERTO
CONTRALTO
FANTASIA
LENTO
MODERATO
OPERA BUFFA
ORATORIO
PIANO
PRESTO
SOPRANO
VIVACE

WORDSEARCH

No. 25 Sports

L	G	F	L	O	G	N	I	V	I	D	Y	A	U	F
W	E	N	L	L	D	S	E	Y	R	P	T	U	A	N
U	Q	T	I	L	Z	R	S	T	E	Y	C	M	C	P
R	A	N	T	C	A	U	K	O	B	K	Y	T	M	L
T	U	S	K	S	A	B	A	S	I	A	C	V	I	S
U	T	S	C	W	X	R	T	U	I	Z	L	O	U	E
S	E	N	S	I	F	Y	E	E	R	N	I	L	H	P
P	K	O	A	M	T	O	B	S	K	R	N	L	Y	K
C	C	O	P	M	B	S	O	G	R	S	G	E	P	F
A	I	K	A	I	W	R	A	T	U	O	A	Y	T	R
S	R	E	D	N	U	O	R	N	B	R	H	B	I	V
I	C	R	A	G	U	O	D	Q	M	A	W	A	X	W
A	S	K	B	O	W	L	I	N	G	Y	L	L	S	K
A	U	B	A	D	M	I	N	T	O	N	G	L	N	E
L	I	S	K	I	I	N	G	N	I	W	O	R	J	N

BADMINTON
BASKETBALL
BOWLING
CRICKET
CYCLING
DIVING
FOOTBALL

GOLF
GYMNASTICS
HOCKEY
HORSE RACING
NETBALL
ROUNDERS
ROWING

RUGBY
SKATEBOARDING
SKIING
SNOOKER
SWIMMING
TENNIS
VOLLEYBALL

WORDSEARCH

No. 26 Frasier

H	R	B	B	G	O	D	L	L	U	B	A	H	I	Q
T	J	O	C	C	A	H	Y	M	B	L	T	T	R	R
A	S	O	V	R	E	N	E	F	A	C	D	C	E	N
J	G	L	H	W	P	D	T	U	J	A	R	N	V	E
J	A	U	I	N	D	E	S	T	V	K	O	O	I	N
B	R	N	Y	I	M	U	R	I	P	M	Z	O	R	A
S	L	L	E	G	N	A	D	I	V	A	D	M	W	R
D	E	Q	S	L	V	L	H	M	G	R	O	E	O	C
J	A	O	A	B	E	C	M	O	A	I	Y	N	H	S
T	O	N	C	E	H	E	T	O	N	S	L	H	S	E
S	J	R	R	E	B	Q	V	S	C	E	E	P	O	L
S	E	S	E	A	T	T	L	E	X	T	Y	A	I	I
Y	Y	R	T	A	I	H	C	Y	S	P	I	D	D	N
U	S	G	E	Y	N	O	T	G	N	I	H	S	A	W
P	Z	P	P	M	U	P	D	W	S	R	O	S	R	X

BULLDOG
CAFE NERVOSA
CHEERS
DAPHNE MOON
DAVID ANGELL
DAVID LEE
EDDIE
JANE LEEVES
JOHN MAHONEY
KACL
MARIS
MOOSE
NILES CRANE
PERI GILPIN
PETER CASEY
PSYCHIATRY
RADIO SHOW
ROZ DOYLE
SEATTLE
SITCOM
WASHINGTON

WORDSEARCH

No. 27 Things Done Outdoors

R	A	F	T	I	N	G	S	S	Y	R	Y	G	O	S
F	A	Y	A	I	B	U	N	C	P	W	S	N	T	K
G	G	F	U	T	R	O	G	I	G	F	T	I	Y	Y
N	P	N	L	F	P	N	C	T	N	E	E	K	S	D
I	G	H	I	Y	I	N	O	E	I	E	Z	K	N	I
E	R	N	I	D	I	Z	I	L	K	Q	D	E	P	V
E	G	G	I	C	I	N	A	H	A	D	O	R	R	I
S	W	L	K	K	M	R	G	T	Y	F	Y	T	A	N
T	G	I	E	F	I	F	E	A	A	W	R	U	M	G
H	N	Z	E	H	N	B	H	S	K	A	A	R	B	N
G	N	I	H	C	T	A	W	D	R	I	B	O	L	I
I	Q	T	W	D	W	B	O	X	P	O	T	E	I	H
S	T	A	R	G	A	Z	I	N	G	T	H	E	N	S
T	E	U	Q	O	R	C	A	N	O	E	I	N	G	I
S	A	I	L	I	N	G	N	I	B	M	I	L	C	F

ATHLETICS
BIKING
BIRDWATCHING
CANOEING
CLIMBING
CROQUET
FISHING
FLYING A KITE
GARDENING
GLIDING
HORSE RIDING
KAYAKING
PICNICKING
RAFTING
RAMBLING
SAILING
SIGHTSEEING
SKYDIVING
STARGAZING
SURFING
TREKKING

No. 28 Fictional Dogs

S	K	S	N	O	W	Y	S	T	L	U	C	E	S	O
A	R	O	K	G	S	M	L	A	S	K	A	P	B	S
F	A	G	C	N	R	F	B	L	U	E	M	D	R	S
P	A	R	U	I	A	P	D	R	O	F	F	I	L	C
S	B	A	B	D	T	H	I	I	M	M	R	O	O	A
K	T	Y	P	F	U	W	A	V	V	A	R	G	R	M
U	W	R	I	L	A	A	L	U	T	E	P	E	U	P
S	I	A	T	V	Y	F	F	U	L	F	P	N	D	E
S	U	W	T	U	J	A	V	E	B	P	U	E	X	R
E	U	Q	F	L	N	L	I	P	E	U	C	S	O	S
E	E	R	R	G	T	T	W	P	A	G	S	Q	G	L
O	P	V	T	P	A	A	X	J	L	N	N	T	D	G
Y	W	H	V	S	A	R	D	S	T	A	S	L	E	A
R	B	N	W	S	Y	U	Q	I	N	X	T	Y	U	R
I	E	U	U	F	L	K	J	A	P	T	I	I	A	M

ARGOS
BLUE
BUCK
BUSTER
CLIFFORD
DINGO
DIOGENES
FANG
FLUFFY
GARM
HANK
LASKA
LORELEI
MOLLY
NANA
PANSY
PEPPER
PETULA
PUGNAX
SCAMPER
SNOWY

No. 29 Ice Hockey

H	R	I	N	K	K	S	E	V	O	L	G	K	N	Y
E	K	C	E	H	C	Y	D	O	B	G	J	R	U	T
E	S	O	U	Y	U	H	M	O	A	L	E	M	E	M
Q	G	P	T	F	P	C	F	R	I	F	A	E	J	O
F	R	O	R	U	F	P	R	I	E	R	C	D	W	F
W	U	W	A	E	W	O	K	R	Y	O	E	N	E	F
Z	D	E	L	L	A	N	E	I	A	E	G	P	F	S
U	R	R	Z	G	T	E	A	C	W	O	J	V	J	I
V	A	P	O	H	A	E	H	R	A	G	T	T	F	D
F	W	L	N	P	C	O	N	L	K	F	I	E	C	E
R	R	A	E	O	P	A	P	D	A	Z	C	M	H	I
D	O	Y	O	C	N	A	M	S	E	N	I	L	T	A
Q	F	S	K	C	I	T	S	S	R	R	V	E	I	E
T	H	K	S	E	T	A	K	S	B	S	S	H	B	Q
H	S	P	U	U	V	U	F	A	U	P	W	E	S	J

BLADES	GLOVES	PERIODS
BODY CHECK	GOALTENDER	POWER PLAY
BREAKAWAY	HELMET	PUCK
COACH	LINESMAN	REFEREE
DROP PASS	NEUTRAL ZONE	RINK
FACE-OFF	OFFSIDE	SKATES
FORWARD	OWN GOAL	STICKS

WORDSEARCH

No. 30 Hit US Singles

O	A	D	M	I	V	E	F	T	Y	R	R	O	S	J
R	F	R	I	H	T	O	N	U	R	E	S	O	L	C
R	I	T	E	S	K	L	N	U	A	L	K	L	A	O
E	R	H	C	G	T	R	E	E	L	P	N	Z	Y	N
D	E	E	A	Q	N	U	P	I	D	P	U	T	O	I
A	W	H	P	R	A	O	R	A	A	A	F	N	R	A
E	O	I	S	N	E	H	R	B	R	Q	N	E	R	G
L	R	L	K	E	T	G	T	T	I	T	W	C	S	A
R	K	L	N	P	O	S	G	A	S	A	O	A	E	Y
E	S	S	A	Y	I	T	R	I	G	H	T	F	V	R
E	S	E	L	T	T	G	W	U	D	B	P	R	M	T
H	H	W	B	Z	H	V	A	E	O	D	U	E	M	E
C	A	I	H	O	L	Y	G	R	A	I	L	K	A	L
T	E	E	N	A	G	E	D	R	E	A	M	O	U	X
B	C	A	A	L	L	E	R	B	M	U	L	P	G	I

BLANK SPACE
CHEAP THRILLS
CHEERLEADER
CLOSER
DISTURBIA
FIREWORK
GOLD DIGGER
HOLY GRAIL
ONE DANCE
PART OF ME
POKER FACE
ROAR
ROYALS
SAY IT RIGHT
SORRY
STRONGER
TEENAGE DREAM
THE HILLS
TRY AGAIN
UMBRELLA
UPTOWN FUNK

WORDSEARCH

No. 31 World Heritage Sites

C	D	B	S	O	A	I	D	M	E	T	E	O	R	A
A	S	L	A	J	M	E	S	A	V	E	R	D	E	R
H	W	E	S	I	L	O	P	O	R	C	A	W	E	J
O	Q	N	I	O	A	Y	U	T	S	Q	U	D	F	F
K	E	H	S	C	K	U	E	N	T	J	I	O	S	E
I	G	E	G	D	I	R	B	H	T	R	O	F	A	W
A	N	I	O	K	A	T	R	S	A	W	F	N	L	A
Q	E	M	N	L	B	A	Y	R	J	S	U	U	T	D
V	H	P	D	A	E	S	A	O	H	O	O	Y	A	D
R	E	A	W	H	K	D	O	A	F	M	L	M	I	E
I	N	L	A	A	A	G	R	H	D	B	A	E	R	N
Q	O	A	N	M	L	K	Z	T	P	V	A	A	E	S
V	T	C	A	J	B	M	I	R	C	A	S	T	L	E
O	S	E	V	A	C	O	A	G	O	M	P	T	H	A
J	C	S	Y	T	A	F	Q	A	D	L	I	K	T	S

ACROPOLIS
BLENHEIM PALACE
CAHOKIA
CITY OF BATH
DELOS
FORTH BRIDGE
GONDWANA
LAKE BAIKAL
MADARA RIDER
MESA VERDE
METEORA
MIR CASTLE
MOGAO CAVES
MOUNT WUYI
PAPHOS
SALTAIRE
SHARK BAY
ST KILDA
STONEHENGE
TAJ MAHAL
WADDEN SEA

WORDSEARCH

No. 32 Types Of Jeans

U	Z	E	M	H	A	I	V	R	E	S	Z	P	V	Y
L	V	M	E	X	R	R	U	S	H	I	L	O	N	G
H	B	R	I	P	P	E	D	R	O	M	T	T	R	G
K	I	R	E	L	A	X	E	D	Y	E	D	W	B	A
D	R	G	D	E	S	T	C	T	U	C	T	O	O	B
I	B	P	H	Q	Y	L	T	I	I	Y	Y	I	P	P
H	E	B	I	R	A	N	F	E	O	F	H	H	S	S
N	O	F	J	S	I	L	N	S	R	S	C	S	A	A
F	S	L	S	R	A	S	P	I	T	N	T	A	U	I
T	M	I	D	R	I	S	E	R	K	D	E	W	F	J
I	C	S	E	I	R	N	A	W	E	S	R	D	P	Z
L	I	D	L	O	D	I	V	O	S	L	T	I	F	Q
V	I	N	T	A	G	E	I	L	L	M	S	C	P	U
I	E	Q	P	H	U	S	T	O	N	E	W	A	S	H
S	A	W	T	A	P	E	R	E	D	O	A	B	M	M

ACID WASH	HIGH RISE	SKINNY
BAGGY	LONG	SLIM
BOOT-CUT	LOW RISE	STONE WASH
BOYFRIEND	MID RISE	STRAIGHT
CLASSIC	PATTERNED	STRETCH
DYED	RELAXED	TAPERED
FLARED	RIPPED	VINTAGE

WORDSEARCH

No. 33 Names

A	I	G	I	C	A	T	H	E	R	I	N	E	E	X
M	V	R	J	A	S	M	I	N	E	H	A	R	A	S
A	H	A	C	I	N	O	M	O	F	V	T	N	T	Y
T	A	W	I	L	L	I	A	M	I	J	A	M	E	S
D	O	L	I	V	E	R	T	C	N	B	L	A	J	T
C	D	T	H	M	G	A	T	C	N	P	I	C	E	S
D	T	A	I	N	B	O	H	A	E	T	E	D	O	I
U	I	L	N	R	R	A	E	C	J	H	S	T	A	S
X	Y	V	O	I	Z	C	W	C	I	O	M	N	E	U
U	U	S	A	E	E	W	L	E	D	M	N	R	S	R
B	F	A	L	D	K	L	S	B	U	A	I	S	A	C
A	P	T	D	T	R	S	U	E	I	S	C	E	T	A
O	U	Z	K	L	P	A	T	R	E	B	O	R	E	O
O	Z	S	L	P	W	D	O	T	S	S	L	B	F	M
A	R	S	D	O	L	P	O	G	M	G	A	E	A	P

CATHERINE
DANIEL
DAVID
EMILY
HAZEL
JAMES
JASMINE
JENNIFER
MATTHEW
MICHAEL
MONICA
NATALIE
NICOLA
OLIVER
PETER
REBECCA
ROBERT
SARAH
THOMAS
VICTORIA
WILLIAM

No. 34 Fish

O I A K C I R T T P W D V F E

X T S F C A T F I S H C R E P

E R E P P A N S D E R M D W X

J O S L N F B A R R A C U D A

K O H S L P L E E R E G N O C

N U S S P U E O L O R W U S H

Y O I E I F M I U K T U N A A

H A F A L F N Y N N C H L W D

D A E B C E D P E R D I R F D

H T U A H R I N G R B E T I O

N H L S A F H W A U G W R S C

E R B S R I B B T B R B A H K

R K V R D S A L M O N O O A U

E H A N C H O V Y R H L I F W

H X Q H Y P J E S R F L L W R

ANCHOVY

BANDFISH

BARRACUDA

BLUEFISH

CATFISH

CONGER EEL

FLOUNDER

GREY MULLET

HADDOCK

HAKE

HALIBUT

MARLIN

PERCH

PILCHARD

PUFFERFISH

RED SNAPPER

SALMON

SAWFISH

SEA BASS

STICKLEBACK

TUNA

WORDSEARCH

No. 35 Austria

```
R C P K W P L K U L T T E W Z
V S A V L U E J A G Z A O R L
W X Z T I U H O H E N E M S F
T R A U N E Z O C B E T Y L R
D T R L Z O N T A V G Z O E I
O E G L B H E N I I E T H W I
P G G N A R S C A L R D T M A
E U N R N R P T F L B A T R S
S A D I U O Y G O A T T F Z R
U S T B D B R E R C F S E A S
A Z F N L N Z Y T H K N Y I T
I J A R Y W O L F S B E R G R
U D E O A P N E A A G S R S I
U T U D L Z E O L S R I Y A X
R A R R R L S L E O B E N S U
```

BREGENZ
DORNBIRN
EISENSTADT
GRAZ
HARD
HOHENEMS
LEOBEN
LEONDING
LINZ
SALZBURG
STEYR
STOCKERAU
TERNITZ
TRAUN
TROFAIACH
TULLN
VIENNA
VILLACH
WELS
WOLFSBERG
ZWETTL

No. 36 At A Fair

R	R	C	C	M	S	M	E	G	S	P	Z	X	R	A
I	L	R	R	M	F	H	C	A	N	Q	H	I	L	T
C	G	G	O	M	N	S	U	M	S	R	D	V	E	S
E	R	O	W	R	U	A	D	E	P	E	A	N	G	Q
C	A	N	D	Y	F	L	O	S	S	R	T	B	D	I
R	F	P	S	T	F	A	R	C	J	E	I	L	U	O
E	F	G	Y	U	O	T	P	B	R	N	C	Z	J	L
A	L	X	D	G	K	H	L	T	G	Y	K	T	E	G
M	E	W	T	I	I	V	A	O	G	S	E	U	V	S
N	A	I	U	Q	S	I	C	H	R	S	T	O	T	G
T	Y	R	S	G	N	P	O	U	P	L	S	C	E	R
Y	Z	G	K	E	G	R	L	K	Z	L	E	I	M	P
T	F	R	R	E	S	V	U	A	E	A	S	G	S	N
T	S	S	I	E	T	O	K	C	Y	T	U	O	I	T
A	P	R	S	D	H	A	P	Y	I	S	B	I	R	B

BARN
BINGO
CANDYFLOSS
CRAFTS
CROWDS
DISPLAYS
ENTERTAINERS
FUN
GAMES
HORSES
HOT DOG
ICE CREAM
JUDGE
LOCAL PRODUCE
MARKET
PRIZES
RAFFLE
RIDES
STALLS
TENT
TICKETS

WORDSEARCH

No. 37 French Departments

G	P	E	O	L	D	U	A	V	C	C	M	T	O	S
M	E	M	O	S	E	L	L	E	N	F	Z	U	X	E
A	T	R	V	O	N	N	G	A	R	D	Z	I	F	C
R	T	T	S	M	G	E	N	R	A	M	P	T	P	A
T	O	N	W	M	O	D	S	O	T	T	A	I	R	O
I	Y	T	S	E	D	N	Q	V	S	V	M	P	P	U
N	A	H	I	B	R	O	M	S	Q	S	R	H	R	R
I	M	E	R	D	O	R	I	A	M	O	E	H	L	S
Q	E	F	A	S	D	I	B	S	N	U	I	T	O	T
U	U	T	P	R	F	G	L	F	E	C	V	H	T	A
E	S	U	L	C	U	A	V	U	H	D	H	R	X	U
O	E	G	U	F	N	J	P	A	G	R	U	E	O	R
H	I	B	R	D	C	S	R	R	U	O	J	A	R	A
L	S	B	E	B	I	N	P	R	T	N	F	V	O	A
C	I	S	I	M	L	V	P	I	J	V	S	N	N	P

AUDE
DORDOGNE
ESSONNE
GARD
GERS
GIRONDE
JURA
LANDES
MANCHE
MARNE
MARTINIQUE
MAYOTTE
MEUSE
MORBIHAN
MOSELLE
NORD
OISE
PARIS
SOMME
TARN
VAUCLUSE

No. 38 Explorers

B A F F I N U N O S D U H H R
G S V G N A H U T R J A E P J
J O U T S R G G K R R T W L R
U B R S A T R E I T R A C U R
E R R R U T O W D E L O Z E I
H A T E C S U B M U L O C I U
C B S A H N E R A C S A M X P
I O J Y K S Z O P C V M R R E
R C L O J C I K U E N U L R T
A S C S L N E B N K S N S A V
M E N U G L A D O G B D Q W T
A F C S P N I O L R T S W N H
G J T Z K S C E A A F E I L E
A A O S H S E R T A W N P K L
D R A K E R P V Q T R C H V U

AMUNDSEN
BAFFIN
BANKS
BARBOSA
CABOT
CARTIER
CAVENDISH
COLUMBUS
COOK
DA GAMA
DRAKE
ESCOBAR
FROBISHER
HUDSON
INGSTAD
JOLLIET
MASCARENHAS
PIZARRO
RALEIGH
VESPUCCI
WALDECK

WORDSEARCH

No. 39 Greek Islands

R	E	B	I	T	S	E	R	G	F	Z	Y	D	E	S
W	H	P	X	C	G	Z	S	W	X	Y	A	P	S	U
G	T	S	A	U	A	D	T	R	R	L	X	M	K	J
S	S	O	P	S	S	R	U	P	I	S	N	E	C	I
O	O	F	M	A	S	A	I	A	I	E	H	A	H	D
M	A	M	L	T	O	R	T	A	T	S	V	U	I	O
A	I	T	T	S	R	T	H	E	T	E	T	P	O	K
S	K	T	O	A	A	R	R	O	W	S	I	H	S	I
J	Y	A	H	L	P	C	M	B	D	T	N	K	Q	A
T	T	J	Y	A	T	S	Y	U	U	E	O	T	R	E
V	H	L	D	M	C	S	K	E	P	P	S	O	T	I
V	I	M	R	I	U	A	O	Y	E	S	U	X	M	I
N	R	A	A	N	Y	H	N	L	R	L	Y	R	G	U
K	A	R	P	A	T	H	O	S	C	O	R	F	U	L
F	L	E	M	N	O	S	S	F	R	H	S	R	H	P

CHIOS
CORFU
CRETE
EUBOEA
HYDRA
ICARIA
ITHACA

KARPATHOS
KYTHIRA
LEMNOS
MYKONOS
PAROS
PATMOS
PAXI

RHODES
SALAMINA
SAMOS
SKOPELOS
SKYROS
SPETSES
TINOS

No. 40 Songs by The Beatles

```
P T K Y A D H T R I B R E X K
Q I I R E D U J Y E H H S S G
P O P P E S D T B L V B U R N
P E G S F P T R G E T B A C K
K O N R I R P E I I A E C A T
L P D N L S E I R B R C E T J
Q W B E Y T T V R D K L B I E
S I A E M L P S O T A C I R S
W X D L N E A B N L Y Y A Y Y
N R B L I T V N A P U A P L O
J F O E R K E O E Y A T D E B
C U Y H W E M L L E T E I V K
P O L C A N A M E R E H W O N
C H A I N S Y F T A U G J L N
I S F M A T S I B O S A R Y C
```

BAD BOY
BECAUSE
BIRTHDAY
BLACKBIRD
BOYS
CHAINS
DAY TRIPPER
ELEANOR RIGBY
GET BACK
GIRL
HEY JUDE
IN MY LIFE
JULIA
LOVE ME DO
LOVELY RITA
MICHELLE
NOWHERE MAN
PENNY LANE
REVOLUTION
TELL ME WHY
YESTERDAY

WORDSEARCH

No. 41 FTSE Companies

E	C	M	J	L	A	R	K	T	E	J	Y	S	A	E
E	O	U	A	P	T	W	R	D	I	A	G	E	O	U
A	X	W	T	P	F	O	C	E	N	T	R	I	C	A
I	V	P	X	U	R	R	I	O	T	I	N	T	O	I
O	R	T	E	O	T	L	R	E	V	E	L	I	N	U
I	Z	D	N	R	B	D	T	P	Q	Q	A	R	O	O
M	A	O	O	G	I	P	E	X	I	V	R	U	Y	S
L	O	T	F	T	I	A	R	E	I	T	P	C	E	K
R	O	N	A	B	R	Y	N	V	F	E	E	E	R	F
I	E	T	D	S	G	H	A	M	M	E	R	S	O	N
L	T	L	O	I	H	G	R	U	U	A	U	D	C	I
P	H	N	V	K	E	T	R	E	T	N	I	N	N	O
T	K	S	G	N	I	D	L	O	H	M	R	A	E	D
P	X	S	B	C	B	H	P	Q	U	O	I	L	L	I
L	A	B	P	C	N	H	N	M	Z	P	Y	R	G	S

ARM HOLDINGS
AVIVA
BG GROUP
BT GROUP
CENTRICA
DIAGEO
EASYJET
EXPERIAN
GLENCORE
HAMMERSON
HSBC
INTERTEK
LAND SECURITIES
MONDI
NEXT
PEARSON
RIO TINTO
TESCO
UNILEVER
VODAFONE
WORLDPAY

No. 42 Disney Characters

H	V	W	D	N	R	B	N	A	W	L	O	U	I	J
E	W	Q	K	D	O	N	A	L	D	D	U	C	K	N
R	A	S	J	A	T	T	J	G	M	T	U	M	S	Y
C	O	Q	I	S	I	A	I	F	H	I	F	M	C	K
U	D	H	U	M	L	S	M	R	O	E	L	R	B	A
L	P	C	E	M	B	M	I	O	T	O	E	S	K	O
E	R	T	A	R	Z	A	N	L	A	G	G	R	O	A
S	N	I	P	P	O	P	Y	R	A	M	N	X	A	A
L	T	T	S	L	E	K	C	U	D	Y	S	I	A	D
I	R	S	O	U	T	A	R	M	L	R	E	B	K	M
R	T	P	P	T	W	X	I	A	F	I	G	A	R	O
S	A	T	N	O	H	A	C	O	P	P	L	F	A	W
X	T	R	R	C	T	C	K	N	U	Y	F	O	O	G
O	C	L	A	R	A	B	E	L	L	E	C	O	W	L
N	E	L	L	I	U	O	T	A	T	A	R	W	A	I

BAGHEERA
CLARABELLE COW
DAISY DUCK
DONALD DUCK
DUMBO
FIGARO
GOOFY
HERCULES
JIMINY CRICKET
KING TRITON
LILO
MARY POPPINS
MAX GOOF
MOWGLI
PLUTO
POCAHONTAS
RATATOUILLE
SIMBA
SPOT
STITCH
TARZAN

WORDSEARCH

No. 43 Keira Knightley

O	G	E	M	T	E	L	R	E	V	E	N	K	P	A
U	R	P	S	U	D	O	M	I	N	O	B	I	U	P
G	L	O	E	P	K	U	O	A	E	A	Z	E	R	S
S	O	R	I	C	X	T	H	E	J	A	C	K	E	T
R	V	H	L	N	E	V	E	R	L	A	N	D	M	H
U	E	T	T	S	I	W	T	R	E	V	I	L	O	G
H	A	N	N	A	K	A	R	E	N	I	N	A	H	I
T	C	A	E	A	U	M	G	S	Y	T	O	R	G	N
R	T	S	C	Z	J	Q	A	A	S	I	X	L	N	T
A	U	I	O	T	N	E	M	E	N	O	T	A	I	S
G	A	M	N	Y	S	I	R	K	L	I	S	R	M	A
N	L	E	N	O	N	E	E	R	C	S	G	R	O	L
I	L	H	I	L	V	T	H	E	H	O	L	E	C	I
K	Y	T	H	E	D	U	C	H	E	S	S	V	B	I
N	T	T	I	I	U	N	T	O	U	C	H	E	D	T

ANNA KARENINA
ATONEMENT
BEGIN AGAIN
COMING HOME
DOMINO
EVEREST
INNOCENT LIES
KING ARTHUR
LAST NIGHT
LOVE ACTUALLY
NEVER LET ME GO
NEVERLAND
OLIVER TWIST
PURE
SCREEN ONE
SILK
THE DUCHESS
THE HOLE
THE JACKET
THE MISANTHROPE
UNTOUCHED

No. 44 Bestselling Books

S	U	R	U	A	S	E	H	T	S	T	E	G	O	R
C	L	O	L	A	F	F	U	R	G	E	H	T	V	P
H	G	O	O	D	N	I	G	H	T	M	O	O	N	D
A	D	L	R	O	W	S	E	I	H	P	O	S	E	A
R	E	N	U	D	I	N	F	E	R	N	O	E	W	V
L	T	H	E	H	O	B	B	I	T	Q	Z	N	M	I
O	R	E	H	T	A	F	D	O	G	E	H	T	O	N
T	W	I	L	I	G	H	T	U	J	A	W	S	O	C
T	T	E	R	C	E	S	E	H	T	Y	T	Z	N	I
E	Y	R	E	H	T	N	I	R	E	H	C	T	A	C
S	C	A	N	A	M	L	A	D	L	R	O	W	K	O
W	A	R	A	N	D	P	E	A	C	E	I	P	G	D
E	B	R	E	A	K	I	N	G	D	A	W	N	C	E
B	C	Z	N	J	A	P	L	E	H	E	H	T	G	S
A	N	G	E	L	S	A	N	D	D	E	M	O	N	S

ANGELS AND DEMONS
BREAKING DAWN
CATCHER IN THE RYE
CHARLOTTE'S WEB
DA VINCI CODE
DUNE
GOODNIGHT MOON
INFERNO
JAWS
LORD OF THE RINGS
NEW MOON
ROGET'S THESAURUS
SOPHIE'S WORLD
THE GODFATHER
THE GRUFFALO
THE HELP
THE HOBBIT
THE SECRET
TWILIGHT
WAR AND PEACE
WORLD ALMANAC

WORDSEARCH

No. 45 F. Scott Fitzgerald

T	T	W	S	D	F	R	A	N	C	I	S	N	V	G
N	Y	I	Y	T	O	P	T	O	R	M	A	O	X	I
I	B	N	A	F	S	R	H	I	A	I	N	I	F	N
C	S	T	M	R	Z	I	E	T	Z	N	E	T	J	E
K	T	E	E	E	E	N	F	A	Y	N	W	C	A	V
C	A	R	R	N	L	C	I	R	S	E	L	I	Z	R
A	G	D	I	C	D	E	E	E	U	S	E	D	Z	A
R	T	R	C	H	A	T	N	N	N	O	A	E	A	K
R	A	E	A	R	S	O	D	E	D	T	F	N	G	I
A	E	A	N	I	A	N	Z	G	A	A	C	E	E	N
W	R	M	X	V	Y	R	Y	T	Y	O	I	B	H	G
A	G	S	E	I	R	O	T	S	T	R	O	H	S	T
Y	E	L	Q	E	E	I	N	O	V	E	L	I	S	T
T	H	E	B	R	I	D	A	L	P	A	R	T	Y	H
S	T	E	C	A	L	A	P	E	C	I	E	H	T	P

A NEW LEAF
AMERICAN
BENEDICTION
CRAZY SUNDAY
FRANCIS
FRENCH RIVIERA
GINEVRA KING

JAZZ AGE
LOST GENERATION
MINNESOTA
NICK CARRAWAY
NOVELIST
PRINCETON
SHORT STORIES

THE BRIDAL PARTY
THE FIEND
THE FOUR FISTS
THE GREAT GATSBY
THE ICE PALACE
WINTER DREAMS
ZELDA SAYRE

WORDSEARCH

No. 46 'G' Cities

Q	O	N	R	Q	L	L	C	E	T	A	L	T	V	B
E	I	E	L	A	D	N	E	L	G	D	Q	A	G	O
E	Y	I	A	O	S	A	P	A	A	C	L	I	A	T
G	R	A	N	A	D	A	T	N	B	G	R	Z	T	S
L	T	A	B	S	P	E	G	K	O	A	U	G	I	R
A	S	P	H	N	S	R	V	T	R	Z	D	F	N	A
S	A	M	S	H	E	P	H	D	O	A	V	A	E	E
G	O	A	E	N	W	E	O	D	N	C	O	I	A	O
O	C	A	O	N	N	T	R	S	E	I	Z	U	U	T
W	D	B	R	B	U	G	K	G	Z	T	A	Z	E	I
G	L	O	U	C	E	S	T	E	R	Y	L	G	R	S
E	O	R	P	P	G	E	E	L	O	N	G	I	Z	A
C	G	U	G	I	L	B	E	R	T	R	P	D	I	T
D	S	Q	L	E	S	W	L	R	I	S	P	U	I	N
R	R	P	Y	U	A	V	E	N	E	G	H	E	N	T

GABORONE	GHENT	GLENDALE
GATESHEAD	GILBERT	GLOUCESTER
GATINEAU	GIRARDOT	GOLD COAST
GAZA CITY	GIRESUN	GOTHENBURG
GDANSK	GIZA	GRANADA
GEELONG	GLASGOW	GREEN BAY
GENEVA	GLAZOV	GRENOBLE

WORDSEARCH

No. 47 Bridges

X	S	E	E	R	O	C	S	R	S	U	S	E	K	S
R	P	W	Q	J	G	M	A	U	W	A	F	V	R	L
N	H	U	N	G	E	R	F	O	R	D	A	S	R	P
P	R	E	W	O	T	R	B	C	I	U	F	U	Y	U
W	T	E	T	L	T	Q	H	R	X	R	G	R	E	T
E	O	X	V	D	U	L	Z	H	O	N	M	I	O	N
S	Y	D	N	E	Y	H	A	R	B	O	U	R	S	E
T	T	R	B	N	S	L	S	I	N	T	K	W	N	Y
M	A	E	B	G	L	P	T	T	R	L	L	L	T	J
I	C	S	R	A	I	R	F	K	C	A	L	B	Y	I
N	B	A	T	T	E	R	S	E	A	G	R	T	I	N
S	R	O	N	E	V	S	O	R	G	L	I	I	U	T
T	S	S	O	I	N	O	E	D	T	C	A	Z	N	A
E	A	G	M	C	U	S	O	J	N	N	S	A	Y	N
R	M	T	R	S	S	Q	S	Z	L	U	A	R	R	G

ANZAC
ARCH
BATTERSEA
BEAM
BLACKFRIARS
BROOKLYN
GALTON
GOLDEN GATE
GROSVENOR
HUNGERFORD
JINTANG
PUTNEY
PYRMONT
QUEBEC
RIALTO
SEVERN
SPIT
SYDNEY HARBOUR
TOWER
VAUXHALL
WESTMINSTER

WORDSEARCH

No. 48 Fine Dining

S	D	E	A	F	R	P	V	T	E	M	R	U	O	G
R	E	L	T	U	B	E	V	I	S	N	E	P	X	E
E	U	S	F	H	S	P	M	C	N	A	T	W	E	N
T	D	N	O	E	I	W	I	J	U	T	Q	Y	K	I
S	R	S	E	M	H	G	C	T	M	F	A	E	R	W
Y	R	U	S	M	M	C	H	A	M	P	A	G	N	E
O	H	I	F	R	G	E	E	Q	V	T	L	O	E	N
K	S	N	K	F	N	N	L	T	U	I	O	X	T	I
S	O	T	O	T	L	A	I	I	A	A	A	Q	E	F
L	P	B	I	R	G	E	N	T	E	V	L	R	G	G
U	S	C	E	E	F	S	S	E	S	R	I	I	U	L
C	S	I	P	B	A	F	T	K	R	A	F	R	T	L
L	O	B	S	T	E	R	A	R	P	V	T	C	P	Y
R	I	S	I	L	V	E	R	S	E	R	V	I	C	E
A	X	E	N	O	U	T	F	O	I	E	G	R	A	S

AUTHENTIC
BUTLER
CAVIAR
CHAMPAGNE
EXPENSIVE
FINE WINE
FOIE GRAS
GOURMET
HIGH-QUALITY
KOBE BEEF
LOBSTER
MICHELIN STAR
OYSTERS
POSH
PRIVATE CHEF
SAFFRON
SILVER SERVICE
SOMMELIER
TASTING MENU
TRUFFLES
VINTAGE

No. 49 Begins And Ends In 'M'

T	M	O	O	R	H	S	U	M	O	D	I	C	U	M
M	E	A	L	W	O	R	M	A	Y	H	E	M	P	M
L	T	Q	E	M	U	S	E	U	M	P	E	Q	W	S
V	M	Q	L	B	M	O	M	E	N	T	U	M	P	D
S	A	M	O	M	N	S	S	O	A	G	I	I	P	T
R	G	Y	E	S	A	O	I	B	N	N	A	Z	Q	R
U	N	S	I	Q	M	E	O	N	I	O	T	M	D	J
X	E	T	U	T	S	L	R	M	O	L	G	A	R	S
M	S	I	L	A	I	R	E	T	A	M	W	R	H	A
O	I	C	L	S	N	T	M	P	S	A	K	J	A	T
U	U	I	M	F	A	T	C	M	M	N	T	R	T	M
F	M	S	X	E	H	U	O	I	F	Z	I	F	Y	V
R	R	M	S	A	C	D	X	T	S	Q	Y	A	F	F
R	S	S	L	H	E	A	L	M	E	D	I	U	M	U
Q	X	I	K	M	M	I	C	R	O	C	O	S	M	M

MAGNESIUM
MAGNUM
MAINSTREAM
MATERIALISM
MAXIM
MAYHEM
MEALWORM
MECHANISM
MEDIUM
METABOLISM
MICROCOSM
MINIM
MODEM
MODICUM
MOMENTUM
MONISM
MONOGRAM
MOONBEAM
MUSEUM
MUSHROOM
MYSTICISM

No. 50 Magnetism

Q	R	E	P	U	L	S	I	O	N	U	N	M	U	S
B	L	P	L	F	F	R	Y	P	K	M	I	Y	Y	C
R	E	M	A	E	S	S	A	P	M	O	C	P	T	A
D	V	S	I	R	C	M	D	U	E	M	K	T	I	O
T	I	M	X	R	A	T	A	M	A	E	E	D	C	C
D	T	A	Q	O	O	M	R	X	T	N	L	M	I	A
U	A	M	M	M	G	N	A	O	W	T	V	S	R	O
S	T	V	W	A	A	F	F	G	M	E	C	S	T	G
P	I	E	W	G	G	L	S	S	N	A	L	P	C	H
A	O	L	P	N	S	N	A	P	P	E	G	L	E	C
P	N	G	A	E	D	L	E	I	F	I	T	N	L	E
R	S	A	T	T	R	A	C	T	I	O	N	I	E	R
C	Z	M	Y	I	E	L	O	P	I	D	R	W	S	T
L	H	W	U	S	C	G	A	U	S	S	Q	C	T	M
U	U	R	L	M	T	T	N	E	N	A	M	R	E	P

ATTRACTION	FERROMAGNETISM	MAXWELL
COMPASS	FIELD	MOMENT
DIAMAGNETISM	FORCE	NICKEL
DIPOLE	GAUSS	PARAMAGNETISM
ELECTRICITY	IRON	PERMANENT
ELECTROMAGNET	LEVITATION	REPULSION
FARADAY	MAGLEV	SPIN

No. 51 Enjoying Life

W S D X L R J M I R T H F U L

S K J K G A G U P B E A T T S

I W O C G N I L G G I G P Z I

J I C Q G D I V E M R N D C S

C O U D C I E H O E K R E O X

I H L O T H X T G J F I T N F

T N A L I B U J H U L U A T R

A H R P Y S L C A G A P L E F

T Y R W P X T I K C I L E N S

S F O I E Y A S R L V L K T E

C O L Y L E N L M Q I U E E T

E G O E R L T V T L V N A D B

F O L U F R E E H C N T G P H

A O I O L L E D I J O Y F U L

D R H Z R D I M C O C R A O Q

CHEERFUL
CHUCKLING
CONTENTED
CONVIVIAL
DELIGHTED
ECSTATIC
ELATED
EXULTANT
GIGGLING
GLEEFUL
HAPPY
JOCULAR
JOLLY
JOVIAL
JOYFUL
JUBILANT
LAUGHING
MERRY
MIRTHFUL
THRILLED
UPBEAT

No. 52 Modern Anniversary Gifts

E	K	Z	O	O	A	R	I	I	J	T	E	E	S	E
T	R	L	Z	G	S	C	D	S	E	G	W	I	Z	T
U	M	T	E	X	T	I	L	E	S	E	A	A	G	O
I	V	O	R	Y	V	D	A	O	J	A	E	U	Z	H
T	E	L	E	C	A	R	B	E	C	A	L	Y	J	P
B	R	P	Q	N	R	D	W	R	A	K	U	G	X	I
X	K	X	L	I	W	E	I	T	A	L	A	T	A	Z
C	H	I	N	A	L	F	N	L	I	S	E	R	A	E
P	T	G	T	L	T	P	L	N	O	T	S	I	I	P
X	S	C	E	E	S	I	E	O	E	H	W	P	Q	S
E	H	R	I	C	R	N	N	A	W	O	O	D	I	K
O	Y	F	U	R	N	I	T	U	R	E	N	E	C	I
F	S	D	N	O	M	A	I	D	M	L	R	E	D	T
K	R	A	P	P	L	I	A	N	C	E	S	S	D	T
T	Y	M	J	W	U	E	R	I	E	J	U	S	W	S

APPLIANCES
BRACELET
BRASS
CHINA
CLOCK
DIAMONDS
EARRINGS
FLOWERS
FURNITURE
GLASS
HOLIDAY
IVORY
JEWELLERY
LACE
LINEN
PEARLS
PLATINUM
PORCELAIN
TEXTILES
WATCH
WOOD

WORDSEARCH

No. 53 Justin Bieber

E	R	A	E	F	M	R	N	Y	F	P	P	B	B	V
M	I	S	T	L	E	T	O	E	N	R	E	C	R	B
I	C	A	K	S	I	A	L	A	L	A	F	T	I	A
T	H	I	R	Y	Q	M	M	L	U	Y	P	G	P	J
E	G	V	T	R	O	X	S	T	S	F	G	M	S	V
N	I	F	W	C	P	B	I	U	P	E	G	A	O	T
O	R	Q	I	A	W	F	R	R	R	T	A	D	R	C
F	L	E	S	R	U	O	Y	E	V	O	L	R	R	R
E	C	C	T	L	S	L	H	P	M	C	E	A	Y	E
A	W	O	N	T	S	T	O	P	U	M	Z	O	E	T
A	B	E	B	F	H	R	D	V	N	E	U	B	J	A
E	M	E	T	G	X	H	R	A	E	P	H	R	H	S
D	N	E	I	R	F	Y	O	B	N	M	Z	E	D	I
D	L	R	O	W	Y	M	J	I	P	C	E	V	L	D
L	T	Y	B	A	B	E	L	I	E	V	E	O	S	R

BABY
BEAUTIFUL
BELIEVE
BIGGER
BOYFRIEND
COMPANY
DRUMMER BOY
FA LA LA
FIRST DANCE
LOVE ME
LOVE YOURSELF
MISTLETOE
MY WORLD
ONE TIME
OVERBOARD
PRAY
RICH GIRL
RIGHT HERE
SORRY
U SMILE
WON'T STOP

No. 54 Beauty

```
I A N A P B B W V G S F I E P
Z R L O R E Y E L I N E R H S
R E C K I D D V E A U I R H I
W I X U S T T I L S U N X O A
L F E F N S A O C R W E T A P
O I T M O B N D O U E A F E W
N S P A S L N J N P R A X M R
O L U S G O I O D U M E T P M
I U E C T T N A I E O A N S E
Q M K A U I G S T T P F H O E
R E A R T O C A I I A L N S T
O E M A P N P K O K O L R R X
R L D E R U C I N A M N I O N
H F A C I A L O E V E R A P U
D N N A I L V A R N I S H S E
```

ALOE VERA

BEESWAX

CONDITIONER

EMULSIFIER

EPILATION

EXFOLIATION

EYELINER

FACIAL

FOUNDATION

LIPSTICK

LOTION

MAKE-UP

MANICURE

MASCARA

NAIL VARNISH

PEDICURE

PORES

SHAMPOO

TANNING

TONER

WAXING

WORDSEARCH

No. 55 Two-Word Film Titles

R	C	O	L	F	I	I	N	S	I	D	E	O	U	T
M	C	E	N	R	U	O	B	N	O	S	A	J	U	A
F	H	D	G	N	O	K	G	N	I	K	V	E	L	L
S	I	O	O	N	H	O	C	U	S	P	O	C	U	S
L	L	N	M	N	A	E	Y	E	D	E	R	A	R	T
O	D	E	D	E	T	R	D	Z	T	I	S	M	E	A
W	S	Z	A	I	A	B	T	I	M	G	R	P	A	Y
W	P	Y	Z	A	N	L	R	S	E	I	O	F	R	A
E	L	E	I	U	L	G	O	E	R	H	I	E	W	L
S	A	A	P	G	F	N	D	N	A	O	A	A	I	I
T	Y	P	S	A	P	T	Q	O	E	T	T	R	N	V
B	E	W	S	E	T	T	O	L	R	A	H	C	D	E
A	I	M	A	M	M	A	M	H	A	Y	Q	E	O	S
U	O	K	S	P	E	T	E	R	P	A	N	S	W	D
E	T	I	H	W	W	O	N	S	K	F	T	Z	M	P

CAMP FEAR
CHARLOTTE'S WEB
CHILD'S PLAY
CRIMSON PEAK
DIE HARD
DOCTOR STRANGE
DON'T BREATHE

FINDING DORY
HOCUS POCUS
HOME ALONE
HOT FUZZ
INSIDE OUT
JASON BOURNE
KING KONG

MAMMA MIA!
PETER PAN
REAR WINDOW
RED EYE
SLOW WEST
SNOW WHITE
STAY ALIVE

No. 56 Jane Austen

L	I	D	Y	K	O	A	N	Z	X	N	I	N	M	S
W	C	P	E	R	S	U	A	S	I	O	N	E	E	X
S	A	F	B	A	T	R	M	B	I	T	M	L	A	V
R	I	T	B	P	U	N	M	J	P	I	A	I	R	L
E	L	H	A	D	R	H	E	O	S	D	H	N	W	M
T	I	E	R	L	T	A	E	G	Y	N	K	O	T	R
T	N	W	E	E	M	M	Y	S	S	A	C	R	E	D
E	E	A	G	I	S	P	U	E	N	S	I	D	N	A
L	V	T	N	F	V	S	T	F	R	I	W	A	N	R
T	U	S	A	S	A	H	S	A	N	S	E	S	E	C
E	J	O	H	N	W	I	L	L	O	U	G	H	B	Y
R	L	N	T	A	O	R	M	G	V	R	R	W	S	C
L	P	S	R	M	T	E	P	O	E	T	O	O	R	Y
R	I	N	O	I	T	C	I	F	L	R	E	O	M	P
T	E	N	N	E	B	R	M	E	S	T	G	D	A	I

ELINOR DASHWOOD
EMMA
FICTION
GENTRY
GEORGE WICKHAM
HAMPSHIRE
JOHN WILLOUGHBY
JUVENILIA
LADY SUSAN
LETTERS
MANSFIELD PARK
MR BENNET
MR DARCY
MRS BENNET
NORTHANGER ABBEY
NOVELS
PERSUASION
POEMS
PRAYERS
SANDITON
THE WATSONS

No. 57 Bones

K	R	S	Y	I	D	I	O	N	E	H	P	S	K	A
Y	E	C	L	A	V	I	C	L	E	M	T	H	R	V
S	C	A	P	U	L	A	O	N	E	U	L	U	E	K
U	Q	R	R	K	A	L	I	H	I	L	P	M	C	A
I	D	I	O	M	H	T	E	N	P	N	S	E	A	F
D	E	S	Z	U	A	F	P	T	S	A	C	R	U	M
A	X	M	T	L	I	L	I	T	A	A	C	U	A	E
R	P	S	A	A	S	A	A	T	H	P	K	S	S	L
U	V	P	L	N	P	T	S	M	S	Q	P	G	M	K
Y	O	P	U	D	D	E	E	S	I	A	C	Z	A	M
L	U	U	B	A	R	I	S	R	P	R	T	A	X	T
L	T	X	I	O	L	R	B	E	N	M	C	S	I	R
F	T	B	F	R	M	A	L	L	E	U	S	A	L	S
F	I	O	K	F	C	P	A	F	E	S	M	I	L	B
T	I	T	L	S	A	U	G	L	A	U	A	A	A	E

CLAVICLE
ETHMOID
FIBULA
HUMERUS
INCUS
LACRIMAL
MALLEUS
MANDIBLE
MAXILLA
PALATINE
PARIETAL
PATELLA
RADIUS
SACRUM
SCAPHOID
SCAPULA
SPHENOID
STAPES
STERNUM
TIBIA
ULNA

No. 58 Southern Constellations

R	K	T	A	O	P	T	V	E	A	O	Y	G	E	U
C	L	S	R	O	T	P	L	U	C	S	R	T	R	G
H	A	U	E	S	R	Z	I	T	B	U	D	I	E	S
A	Q	N	T	A	U	Q	A	R	S	I	Y	S	O	T
M	U	A	I	X	I	N	E	O	H	P	Q	R	A	N
A	A	D	C	S	S	T	L	T	F	R	L	E	L	H
E	R	I	U	U	M	P	S	C	Y	O	T	D	X	A
L	I	R	L	R	U	A	R	I	T	C	R	J	E	S
E	U	E	U	D	L	Q	J	P	P	S	S	N	O	S
O	S	A	M	Y	E	U	V	O	J	P	N	R	A	H
N	D	C	Z	H	A	I	W	F	R	C	U	F	D	X
R	J	A	U	H	C	L	N	U	A	E	S	P	Z	N
U	D	W	R	T	F	A	T	D	C	T	H	S	P	N
E	T	E	I	O	U	A	P	L	U	U	F	R	C	P
T	U	L	E	O	D	M	U	I	K	S	B	T	T	Q

AQUARIUS
AQUILA
CAELUM
CANIS MAJOR
CETUS
CHAMAELEON
DORADO
ERIDANUS
FORNAX
GRUS
HYDRUS
INDUS
OCTANS
ORION
PHOENIX
PICTOR
PUPPIS
RETICULUM
SCORPIUS
SCULPTOR
SCUTUM

WORDSEARCH

No. 59 Paraguay

R	H	E	I	W	R	S	Y	A	B	M	A	M	A	E
U	O	I	G	R	A	N	C	H	A	C	O	G	F	L
P	Q	W	J	E	L	H	O	C	H	L	U	I	U	D
N	M	I	B	V	I	K	J	A	A	A	L	A	V	U
O	A	C	O	I	P	V	C	E	R	A	B	M	A	L
I	T	A	Q	R	P	O	R	A	D	S	Z	T	T	C
C	R	N	U	Y	W	R	N	E	T	U	L	A	O	N
P	V	I	E	A	N	I	L	L	B	N	D	R	P	A
E	O	N	R	U	R	F	C	Y	R	C	D	L	N	A
C	I	D	O	G	I	S	E	N	O	I	S	I	M	B
N	P	E	N	A	L	A	N	D	L	O	C	K	E	D
O	M	Y	O	R	L	B	E	L	R	N	R	W	U	N
C	I	U	D	A	D	D	E	L	E	S	T	E	Q	P
A	L	T	O	P	A	R	A	G	U	A	Y	F	U	A
S	D	W	B	S	A	N	P	E	D	R	O	P	L	S

ALTO PARAGUAY
AMAMBAY
ASUNCION
BOQUERON
CAAZAPA
CANINDEYU
CHACO WAR
CIUDAD DEL ESTE
CONCEPCION
CORDILLERA
FILADELFIA
GRAN CHACO
GUARANI
LAMBARE
LANDLOCKED
LIMPIO
LUQUE
MISIONES
PARAGUAY RIVER
PILAR
SAN PEDRO

No. 60 In The Forest

E	L	F	N	B	D	S	S	Q	A	R	U	I	P	F
S	S	E	S	I	D	T	R	Y	V	F	M	F	T	T
D	G	R	Q	R	R	O	U	D	C	S	P	A	Z	R
G	R	N	U	D	E	E	R	U	T	A	N	C	L	E
C	N	S	I	S	E	E	O	M	H	L	N	U	F	C
L	S	I	R	K	D	E	D	V	O	Q	M	O	S	S
G	G	E	R	D	C	O	A	E	N	U	U	X	P	J
X	R	U	E	A	H	A	O	T	O	R	S	S	D	Y
R	T	E	L	R	E	B	P	W	R	R	C	E	X	O
L	R	L	S	P	T	L	S	K	D	O	L	L	A	K
T	A	F	N	N	R	T	C	F	C	E	T	G	L	C
U	R	E	G	D	A	B	P	O	E	A	R	A	H	U
E	R	K	L	H	I	K	R	X	Q	O	B	E	T	E
B	A	E	K	A	L	E	E	E	D	A	H	S	Y	R
A	I	S	R	D	S	X	U	S	E	V	A	E	L	U

BACKPACKING
BADGER
BIRDS
CANOPY
CLEARING
DORMOUSE
EAGLES
FERNS
FOXES
LAKE
LEAVES
MOSS
NATURE
RED DEER
REDWOODS
ROE DEER
SHADE
SNAKES
SQUIRRELS
TRAILS
TREES

No. 61 In The Garden

A	F	P	R	P	W	E	K	W	L	K	Q	N	Y	R
F	L	O	W	E	R	S	S	A	R	G	E	I	V	T
S	I	E	E	F	D	E	M	I	H	C	D	N	I	W
W	R	D	V	A	S	E	S	X	T	S	A	E	P	W
A	S	I	P	O	T	U	E	Y	A	U	P	S	A	I
I	O	E	T	O	H	A	A	F	B	Y	S	T	G	L
W	D	A	E	X	T	S	A	S	D	E	E	I	O	D
A	L	K	I	D	N	S	H	C	R	R	A	N	D	L
T	S	P	Z	S	S	I	T	L	I	U	I	G	A	I
N	O	N	G	L	G	D	A	N	B	T	P	B	C	F
U	L	R	C	G	O	N	G	T	A	P	G	O	U	E
S	Z	Y	R	E	K	C	O	R	N	L	S	X	N	A
R	T	C	S	O	A	M	R	M	A	U	P	L	G	D
G	R	S	O	N	F	O	U	A	E	C	O	L	I	P
I	N	B	M	O	R	S	N	Y	A	S	R	F	B	W

BIRD FEEDER
BIRDBATH
FLOWERS
FOUNTAIN
GNOME
GRASS
NESTING BOX

PAGODA
PLANTS
POND
POTS
ROCKERY
SCULPTURE
SEEDS

SHOVEL
SPADE
VASES
WATERING CAN
WEEDS
WILDLIFE
WIND CHIME

No. 62 Cheerleading

J	U	D	G	E	V	P	V	F	N	B	S	L	B	H
D	C	H	A	N	D	S	T	A	N	D	A	A	C	I
A	I	A	T	N	Y	O	E	U	I	K	S	S	B	C
S	O	R	P	T	C	J	U	S	T	K	A	A	H	T
P	B	A	I	T	P	I	M	B	E	Q	C	O	T	I
E	E	B	A	O	A	O	N	T	L	K	R	X	V	M
C	S	E	I	I	U	I	T	G	S	E	R	T	M	I
T	A	S	M	N	Q	O	N	P	O	E	H	R	U	N
A	B	Q	T	S	S	P	O	G	H	S	Y	O	M	G
T	N	U	T	S	Y	T	R	E	B	I	L	P	O	R
O	I	E	Q	R	T	A	A	V	W	O	R	S	U	K
R	A	Z	A	E	P	R	R	G	N	I	P	M	U	J
S	M	M	R	H	S	R	A	T	S	L	L	A	Z	W
I	I	Z	Y	A	T	U	T	U	M	B	L	E	T	E
D	R	T	L	H	V	N	O	I	S	N	E	T	X	E

ALL STARS
ARABESQUE
BACK SPOTTER
BASKET TOSS
CAPTAIN
CHOREOGRAPHY
DANCING
DISMOUNT
DOUBLE HOOK
EXTENSION
HANDSTAND
JUDGE
JUMPING
LIBERTY STUNT
MAIN BASE
PYRAMID
REHEARSAL
SPECTATORS
TEAM SPORT
TIMING
TUMBLE

WORDSEARCH

No. 63 Humphrey Bogart Films

T	H	E	A	F	R	I	C	A	N	Q	U	E	E	N
C	N	F	U	F	N	I	T	N	E	U	Q	N	A	S
I	J	T	Y	R	O	T	C	I	V	K	R	A	D	A
L	A	D	N	E	T	H	G	I	N	D	I	M	S	H
F	C	A	L	T	H	E	B	I	G	S	H	O	T	A
N	N	R	O	S	A	O	M	S	R	I	D	W	A	R
O	A	K	I	D	G	A	L	A	H	A	D	D	N	A
C	L	P	O	M	M	S	T	T	C	C	S	E	D	D
C	B	A	D	N	E	D	A	E	D	L	S	K	I	E
O	A	S	L	T	P	S	L	E	V	A	L	R	N	A
R	S	S	U	C	R	I	C	E	L	T	T	A	B	D
I	A	A	R	R	E	I	S	H	G	I	H	M	T	L
S	C	G	P	X	S	C	E	G	O	P	R	A	S	I
K	K	E	Y	L	A	R	G	O	L	O	E	U	O	N
X	A	N	I	R	B	A	S	A	U	E	L	L	D	E

BATTLE CIRCUS
CASABLANCA
CONFLICT
CRIME SCHOOL
DARK PASSAGE
DARK VICTORY
DEAD END
DEADLINE
HIGH SIERRA
IT ALL CAME TRUE
KEY LARGO
KID GALAHAD
MARKED WOMAN
MIDNIGHT
SABRINA
SAHARA
SAN QUENTIN
SIROCCO
STAND-IN
THE AFRICAN QUEEN
THE BIG SHOT

No. 64 Marine Biology

P	E	C	L	I	X	L	Y	O	C	E	A	N	S	Z
M	B	N	O	P	N	I	U	G	N	E	P	P	E	A
N	U	O	D	K	Y	I	I	V	O	C	R	S	R	L
N	O	I	E	A	F	R	I	J	O	L	W	O	B	O
H	I	T	R	C	N	R	T	R	G	E	O	O	O	A
A	E	A	K	A	O	G	A	E	A	V	D	O	R	R
B	D	V	L	N	U	L	E	T	S	R	O	S	Z	F
I	L	R	M	P	A	Q	O	R	X	M	L	E	P	Z
T	S	E	L	W	L	L	A	G	E	O	P	A	F	O
A	N	S	P	H	L	A	P	W	Y	D	H	W	Z	B
T	L	N	M	A	F	I	S	H	E	R	I	E	S	L
E	M	O	L	L	U	S	C	S	R	R	N	E	T	V
Y	T	C	J	E	A	E	F	L	Y	W	C	D	R	G
R	E	E	F	S	H	A	R	K	A	B	D	R	S	S
U	R	C	L	I	M	A	T	E	C	H	A	N	G	E

ABYSSAL PLAIN	ECOLOGY	PENGUIN
AQUARIUM	ENDANGERED	PLANKTON
ATOLL	ENVIRONMENT	REEFS
CLIMATE CHANGE	FISHERIES	SEAWEED
CONSERVATION	HABITAT	SHARK
CORAL	MOLLUSCS	WHALES
DOLPHIN	OCEANS	ZOOLOGY

WORDSEARCH

No. 65 Operas

A	R	I	N	A	L	D	O	N	C	A	R	L	O	S
K	O	A	F	A	L	S	T	A	F	F	A	B	T	G
N	D	T	O	D	N	A	R	U	T	G	E	Q	T	U
Y	N	A	D	I	A	M	B	Q	I	R	I	S	E	R
F	A	I	S	E	E	L	T	O	O	C	H	V	L	T
L	L	V	G	N	M	F	C	N	H	F	S	L	O	Z
S	R	A	N	E	D	O	I	E	I	E	S	K	G	U
H	O	R	O	O	N	A	L	D	F	H	M	C	I	R
C	N	T	N	D	F	O	C	A	E	R	C	E	R	C
G	I	A	A	E	R	M	E	S	S	L	R	Z	I	P
D	D	L	M	F	U	U	A	N	O	I	I	Z	P	H
I	S	L	E	P	R	O	P	H	E	T	E	O	R	R
S	L	O	U	M	R	S	K	N	S	G	D	W	K	U
P	U	I	F	O	T	I	Z	S	L	W	U	A	S	U
H	R	W	R	I	E	I	A	V	A	E	E	E	B	T

AIDA
CARMEN
DON CARLOS
EUGENE ONEGIN
FALSTAFF
FIDELIO
L'ORFEO

LA BOHEME
LA GIOCONDA
LA TRAVIATA
LE PROPHETE
MANON
OBERON
ORLANDO

RIENZI
RIGOLETTO
RINALDO
SALOME
TOSCA
TURANDOT
WOZZECK

WORDSEARCH

No. 66 On The Telephone

I	S	H	O	Y	L	C	H	G	E	V	M	R	N	M
T	P	Y	N	O	I	T	A	S	R	E	V	N	O	C
A	E	M	R	I	N	G	E	R	E	W	S	N	A	O
R	A	W	H	O	S	S	P	E	A	K	I	N	G	R
I	K	F	W	H	O	S	C	A	L	L	I	N	G	D
F	E	S	K	O	O	B	E	N	O	H	P	K	D	L
F	R	E	E	M	I	N	U	T	E	S	C	I	E	E
L	O	C	A	L	C	A	L	L	B	A	C	K	G	S
H	R	O	T	A	R	E	P	O	P	P	F	M	A	S
S	Z	A	L	V	R	Y	G	P	I	S	S	O	G	P
Y	O	L	A	C	O	N	N	E	C	T	I	O	N	H
R	E	B	M	U	N	E	N	O	H	P	S	A	E	O
R	E	D	I	A	L	M	A	P	W	U	V	A	O	N
H	T	U	I	N	T	E	R	F	E	R	E	N	C	E
Y	A	J	E	R	I	Q	R	I	I	U	S	T	G	J

ANSWER
CALL BACK
CALLER
CAN I HELP YOU?
CONNECTION
CONVERSATION
CORDLESS PHONE
ENGAGED
FREE MINUTES
GOSSIP
INTERFERENCE
LOCAL CALL
OPERATOR
PHONE BOOK
PHONE NUMBER
REDIAL
RINGER
SPEAKER
TARIFF
WHO'S CALLING?
WHO'S SPEAKING?

No. 67 Words Containing 'X'

```
E T I X U A B E X R U U T W O
X W U O I S N N I N L S A R O
O W M B R N R J J X Y H S E V
D B A L I S E L I X I R P C R
X T X O R Z A O H N A P A F E
C M I O L N K E H V X T A L L
P R M T N H L S I P V F N U A
A P U L Y I F X P C O C C Y X
C Q M D X X U V I F A X M T S
L E Z X O A I Q X D I H I X A
L H S W R T Y T E E M X X I R
P C P I P R A C L B O X E S T
T M A P E S W Z E P V A R D A
P K V R G I D L M I Z O L P O
S Z A N B Q T I F R L H B T K
```

BAUXITE
BOXES
COCCYX
ELIXIR
EQUINOX
FIXED
HELIX
HOAX
JINX
LARYNX
MAXIMUM
MIXER
PHOENIX
PIXEL
PIXIE
PROXY
RELAX
SIXTY
SYNTAX
TAXI
TOOLBOX

No. 68 Space...

O	L	D	P	Z	J	T	V	F	X	P	B	R	I	T
C	E	L	Q	W	N	E	I	F	O	R	A	X	T	B
M	S	P	N	P	I	N	G	M	T	A	V	A	C	G
I	P	H	O	I	O	Y	G	R	E	N	E	S	N	F
U	E	B	I	I	V	E	C	T	O	R	Q	Q	P	R
T	V	N	T	P	C	L	G	K	T	C	J	N	A	B
H	R	A	A	B	R	T	P	M	L	V	K	R	C	F
Y	T	A	R	M	A	T	T	E	D	A	C	E	S	Y
S	C	A	O	A	F	U	A	H	L	B	W	U	T	D
A	I	A	L	U	T	H	G	I	L	F	I	O	U	R
V	G	E	P	O	C	S	E	L	E	T	T	B	O	L
I	X	G	X	S	H	N	U	U	R	B	X	U	K	A
N	T	B	E	C	U	B	T	L	L	R	O	R	A	N
G	A	O	W	D	L	L	P	A	I	M	R	R	L	J
O	K	V	R	L	U	E	E	Q	S	X	R	X	P	A

AGE
ALIEN
CADET
CAPSULE
CRAFT
ENERGY
EXPLORATION
FLIGHT
MAN
OUT
PROBE
ROCKET
SAVING
SHIP
SHUTTLE
STATION
SUIT
TELESCOPE
TIME
VECTOR
WALK

WORDSEARCH

No. 69 'E' Words

O	X	S	L	A	T	I	Q	O	C	W	O	X	I	M
G	T	S	U	R	U	J	R	O	T	A	V	E	L	E
A	T	N	A	H	P	E	L	E	A	H	I	U	C	M
E	X	N	O	I	T	R	O	T	X	E	R	L	P	I
N	L	N	O	I	S	S	I	M	E	U	E	T	V	S
T	C	G	T	E	S	E	F	P	T	C	T	O	A	S
I	R	O	A	N	C	S	M	G	T	T	A	K	E	A
T	S	E	A	E	E	T	E	I	H	J	R	N	N	R
L	C	S	V	P	A	I	C	R	G	O	G	U	V	Y
E	A	T	A	O	I	M	C	T	P	I	I	S	O	E
P	R	C	S	L	R	A	R	I	N	X	M	I	Y	S
X	S	O	Q	Q	G	T	W	E	F	L	E	R	O	M
E	N	L	A	R	G	E	X	F	U	F	T	I	P	E
G	K	L	Q	S	L	D	Y	E	B	I	E	D	U	W
H	C	I	T	A	T	S	C	E	P	I	G	R	A	M

EAGLE
ECLECTIC
ECSTATIC
EFFICIENT
ELEPHANT
ELEVATOR
EMIGRATE
EMISSARY
EMISSION
ENGINE
ENLARGE
ENTITLE
ENVOY
EPIGRAM
ESCAPE
ESTIMATED
EXPEL
EXPRESSION
EXTORTION
EXTROVERT
EYEGLASS

No. 70 Cleaning And Tidying

F	R	R	T	D	E	A	S	P	R	U	C	E	U	P
L	E	F	D	M	E	V	L	A	U	N	D	R	Y	I
P	R	L	C	R	G	T	S	P	O	T	L	E	S	S
S	M	I	B	R	S	N	E	E	V	N	S	R	S	T
T	O	I	V	O	G	N	I	R	E	V	O	O	H	L
E	P	R	A	J	W	T	S	T	G	S	M	A	I	X
K	G	O	E	F	O	G	C	O	S	E	N	A	N	T
C	H	N	L	T	A	T	R	W	Z	U	N	U	Y	S
U	O	I	O	I	A	S	U	E	D	K	D	T	T	U
B	L	N	G	P	S	W	B	L	A	R	H	N	N	R
L	W	G	E	E	S	H	B	S	R	S	Y	O	S	I
E	R	E	C	Y	C	L	I	N	G	L	E	I	G	K
A	G	L	F	P	R	E	N	N	E	T	A	E	N	U
C	W	A	S	H	I	N	G	X	G	O	F	B	R	G
H	V	A	L	E	Y	E	E	S	C	G	N	I	S	K

BLEACH
BUCKET
DETERGENT
DRYING
DUSTING
ELBOW GREASE
HOOVERING
IRONING
LAUNDRY
MOP
NEATEN
PAPER TOWELS
POLISHING
RECYCLING
SCRUBBING
SHINY
SPONGE
SPOTLESS
SPRUCE UP
WASHING
WATER

WORDSEARCH

No. 71 Visiting The Dentist

A	S	S	E	L	R	O	E	T	O	H	O	L	A	F
P	S	I	U	H	S	A	W	H	T	U	O	M	T	N
O	A	T	Q	L	S	S	E	C	S	B	A	S	T	T
G	R	G	A	K	U	U	M	X	J	T	H	A	O	U
P	F	I	L	Y	S	C	R	U	K	U	U	V	T	C
G	I	N	P	O	U	A	L	B	G	W	P	E	M	E
N	N	G	O	R	Y	G	Y	A	H	K	E	R	I	B
I	J	I	W	I	L	A	N	A	C	T	O	O	R	L
L	E	V	N	E	T	S	A	P	H	T	O	O	T	E
L	C	I	S	E	Y	C	E	R	O	S	I	O	N	B
I	T	T	A	O	T	C	A	V	I	T	Y	A	T	H
F	I	I	V	J	Y	I	V	R	X	R	M	K	Y	C
C	O	S	S	O	L	F	H	L	T	E	R	U	T	I
T	N	E	M	T	U	B	A	W	L	X	E	D	O	L
G	V	V	Q	F	L	U	O	R	I	D	E	D	O	L

ABSCESS
ABUTMENT
CALCULUS
CAVITY
ENAMEL
EROSION
EXTRACTION
FILLING
FLOSS
FLUORIDE
GINGIVITIS
GUMS
INJECTION
MOUTHWASH
PLAQUE
ROOT CANAL
TEETH
TOOTHBRUSH
TOOTHPASTE
WHITENING
X-RAY

No. 72 Nobel Prizewinners In Physics

Z	O	I	C	R	L	T	T	I	O	L	W	T	T	S
P	V	W	S	I	X	P	T	U	O	T	Q	H	E	I
W	M	A	T	H	E	R	L	D	K	S	I	L	Y	D
H	T	I	Z	G	N	E	E	E	I	G	T	O	A	N
V	L	P	R	E	R	I	T	N	G	M	V	M	T	A
V	T	V	A	I	R	N	M	S	A	G	H	O	K	L
E	X	L	A	M	E	E	V	C	T	M	E	C	O	E
A	A	L	H	L	L	S	D	A	D	G	T	T	S	N
P	O	Y	N	L	T	S	S	W	L	O	Y	L	T	I
S	T	A	E	A	S	E	G	R	E	B	N	I	E	W
J	P	R	G	H	A	L	D	A	N	E	N	A	R	V
L	H	W	T	S	K	U	R	M	S	A	S	T	L	I
Q	I	O	N	S	M	O	O	T	M	J	K	J	I	D
E	L	Y	O	B	T	H	T	B	I	D	U	A	T	F
S	A	N	R	E	T	T	U	M	L	R	E	P	Z	R

BOYLE
GEIM
HALDANE
HALL
HIGGS
KASTLER
KOSTERLITZ
LEGGETT
MATHER
MCDONALD
NAMBU
PERLMUTTER
REINES
RIESS
RONTGEN
SCHMIDT
SMOOT
THOULESS
VELTMAN
WEINBERG
WINELAND

No. 73 Four-letter Names

R	M	E	R	B	T	N	R	E	I	Y	U	K	O	T
E	F	O	T	W	R	A	O	W	R	E	S	A	T	O
M	R	T	S	N	U	Y	Y	N	E	U	R	V	S	H
P	W	I	L	L	K	R	B	A	T	R	M	Q	I	F
Z	H	T	N	A	I	T	O	E	K	U	D	R	R	L
O	C	P	D	H	W	H	T	S	A	M	M	E	T	G
F	Z	A	T	G	L	E	P	E	S	R	D	F	X	A
R	M	H	E	O	T	O	A	L	Z	F	L	D	L	F
X	T	D	M	C	I	I	C	E	L	A	Y	Z	A	E
O	T	Y	L	R	Z	R	O	K	A	Y	O	U	S	T
S	R	A	S	O	J	U	I	A	B	E	D	K	M	T
S	G	H	A	C	P	R	A	J	A	T	D	E	T	T
R	T	R	H	R	A	A	C	G	R	G	R	R	R	X
J	W	S	Q	R	I	D	O	W	D	I	T	R	L	I
Z	S	X	X	C	H	N	Y	M	J	O	L	Y	C	P

ADAM
ALEC
DREW
DUKE
EARL
EMMA
ERIN
FAYE
FRED
JAKE
KURT
PACO
PHIL
RAUL
ROSS
RYAN
SEAN
THEO
TOBY
WALT
WILL

No. 74 Pluto

K	Y	O	R	Z	K	D	D	A	L	N	H	U	Y	L
C	C	C	N	O	U	L	W	M	R	E	B	Z	T	A
A	G	O	O	R	I	O	A	U	K	W	A	S	C	T
R	E	D	R	C	P	C	R	N	E	H	R	E	H	E
B	R	W	G	T	E	Y	F	A	R	O	D	T	A	R
O	E	A	A	H	R	R	P	L	B	R	Y	N	R	M
N	Z	T	Y	U	B	E	L	P	E	I	H	O	O	O
M	E	E	M	L	E	V	A	K	R	Z	G	M	N	U
O	N	R	O	H	L	R	N	I	O	O	U	Y	I	A
N	A	I	N	U	T	P	E	N	S	N	A	R	T	Y
O	H	C	T	R	E	P	T	T	I	S	B	A	R	Z
X	T	E	E	E	I	G	Y	U	M	X	M	L	O	S
I	E	O	S	G	G	X	T	P	N	E	O	L	G	Y
D	M	B	G	I	S	O	S	S	B	I	T	I	E	R
E	S	N	O	O	M	E	V	I	F	W	S	H	N	I

CARBON MONOXIDE
CHARON
CTHULHU REGIO
DWARF PLANET
FIVE MOONS
HILLARY MONTES
HYDRA
KERBEROS
KUIPER BELT
METHANE
NEW HORIZONS
NITROGEN
NIX
NORGAY MONTES
ROCK
SPUTNIK PLANUM
STYX
TOMBAUGH
TRANS-NEPTUNIAN
VERY COLD
WATER ICE

WORDSEARCH

No. 75 In An Aeroplane

N	S	E	A	O	S	X	R	U	T	P	E	U	X	W
A	K	N	S	R	E	G	N	E	S	S	A	P	R	I
H	S	G	Z	Q	A	D	A	F	E	F	P	E	A	N
E	A	I	A	T	T	I	I	A	A	I	R	T	A	G
A	M	N	O	V	S	S	T	V	L	R	F	A	T	S
G	N	E	D	L	A	B	D	H	Y	S	U	K	R	U
A	E	S	E	L	E	S	C	O	E	T	S	E	A	I
A	G	B	A	L	U	O	D	L	O	O	E	O	Y	T
J	Y	A	T	A	C	G	A	D	K	F	L	F	T	C
A	X	I	V	K	O	I	G	Q	E	F	A	F	A	A
L	O	P	P	T	L	F	T	A	C	I	G	K	B	S
F	A	I	R	E	O	Q	J	I	G	C	E	J	L	E
Q	T	U	R	B	U	L	E	N	C	E	X	C	E	E
M	O	O	A	C	A	B	I	N	C	R	E	W	S	T
L	N	X	L	O	S	D	K	P	D	I	R	I	F	T

AILERON	FUSELAGE	SEAT BELT
AISLE	HAND LUGGAGE	SEATS
CABIN CREW	HOLD	SUITCASE
COCKPIT	OXYGEN MASKS	TAKE OFF
ENGINES	PASSENGERS	TRAY TABLES
FIRST OFFICER	PILOT	TURBULENCE
FOOD	SAFETY VIDEO	WINGS

No. 76 Numbers

T O D I W D S M O E G D N Y A
L R K D A T S T O V T L A S Y
S E U N W I R Z N Y B D K R A
I E F O R T Y N P T U M M R S
X R N I F I H M R I H Y F G N
T W E L V E U I R I A G P G C
Y P X L L R L J R Y R U I T N
G N O I L L I M Y T K A P E E
Y U P B I R R T P Z Y S T S Y
S T H O U S A N D A E G X Q V
H U N D R E D F I V E R U G A
B T N E V E L E E R H T O C T
M T W Q W D D N S N S J R O D
O M F I F T Y A A P O S R U A
J N I B I M K M N X T R U U E

BILLION
EIGHT
ELEVEN
FIFTY
FIVE
FORTY
FOUR
HUNDRED
MILLION
ONE
SEVEN
SIXTY
TEN
THIRTY
THOUSAND
THREE
TRILLION
TWELVE
TWENTY
TWO
ZERO

No. 77 Standard

B	A	E	A	E	U	A	H	X	R	Q	A	J	A	J
L	R	U	N	E	X	C	E	P	T	I	O	N	A	L
A	Y	F	A	M	I	L	I	A	R	U	R	B	Z	A
M	V	L	Q	G	N	I	L	I	A	V	E	R	P	U
R	O	E	Y	P	R	A	Q	P	D	X	I	A	L	T
O	Y	L	R	A	G	U	I	U	I	R	M	D	B	I
N	S	R	L	A	D	K	P	D	T	A	I	Y	S	B
I	S	T	A	A	G	O	R	D	I	N	A	R	Y	A
A	E	Y	R	M	U	E	T	N	O	T	C	E	D	H
L	J	P	E	S	O	S	S	Y	N	I	O	U	T	P
P	X	I	G	N	A	T	U	R	A	L	M	U	K	I
U	H	C	U	C	R	S	S	P	L	D	M	C	Q	O
A	Y	A	L	E	N	I	T	U	O	R	O	R	R	X
I	L	L	A	I	V	I	R	T	C	T	N	L	H	P
E	P	M	R	L	J	M	S	P	S	T	K	E	F	S

AVERAGE
COMMON
CUSTOMARY
DAY-TO-DAY
FAMILIAR
HABITUAL
MAINSTREAM
NATURAL
NORMAL
ORDINARY
PLAIN
PREVAILING
QUOTIDIAN
REGULAR
ROUTINE
STOCK
TRADITIONAL
TRIVIAL
TYPICAL
UNEXCEPTIONAL
USUAL

No. 78 Road Trip!

T	C	I	S	U	M	M	E	R	H	P	J	U	D	Q
G	P	U	P	I	F	A	E	F	L	T	H	E	I	M
X	L	F	R	J	G	S	P	E	B	I	I	X	R	L
E	O	R	I	T	B	H	Z	B	W	F	E	C	E	P
Y	R	E	N	E	C	S	T	T	O	U	O	U	C	H
O	T	E	G	Y	N	E	Y	S	P	N	T	R	T	M
T	E	D	B	N	O	E	V	E	E	W	D	S	I	I
T	P	O	R	W	I	R	E	J	O	E	I	I	O	V
A	A	M	E	X	P	L	O	R	A	T	I	O	N	L
A	A	P	A	K	O	U	L	A	C	Y	A	N	S	G
I	T	L	K	E	R	D	R	E	R	S	U	S	G	L
J	P	U	N	N	T	X	R	B	V	I	N	Z	E	Q
A	U	M	E	O	P	E	N	R	O	A	D	U	R	E
P	T	Y	U	A	D	V	E	N	T	U	R	E	S	Y
C	B	R	E	A	K	D	O	W	N	N	D	T	Z	A

ADVENTURE
BONDING
BREAKDOWN
DIRECTIONS
EXCURSIONS
EXPLORATION
FREEDOM
FUN
JOURNEY
LOST
MAP
MUSIC
OPEN ROAD
PETROL
SCENERY
SIGHTSEEING
SPRING BREAK
SUMMER
SUNSCREEN
TRAVELLING
WORLD TOUR

WORDSEARCH

No. 79 Australian Cricketers

T	S	E	G	O	V	H	A	Z	L	E	W	O	O	D
W	E	Y	E	V	R	A	H	S	R	A	M	I	B	S
X	C	T	M	P	S	B	L	P	L	O	T	A	L	T
J	T	R	P	O	E	O	Y	T	O	Y	P	M	T	S
U	E	P	A	N	N	R	A	D	M	A	N	W	M	R
W	N	L	A	T	O	D	Y	X	A	H	E	W	E	D
A	E	U	D	U	S	E	S	R	T	Q	U	L	H	E
S	D	L	H	D	N	R	K	E	R	I	G	R	F	W
X	Y	Y	E	L	I	A	B	N	O	S	I	P	C	F
S	A	U	W	L	T	S	R	R	L	A	C	I	W	E
R	H	F	P	I	T	E	L	A	Y	L	P	Q	B	U
T	K	A	C	V	A	J	A	W	A	H	K	B	R	A
T	X	H	X	E	P	Z	S	R	T	A	I	T	M	Z
E	L	K	F	N	A	T	K	G	M	I	T	L	K	L
M	S	H	U	G	H	E	S	I	N	M	K	U	D	L

BAILEY
BENAUD
BORDER
CLARKE
HARVEY
HAYDEN
HAZLEWOOD
HUGHES
KATICH
KHAWAJA
MARSH
MOODY
NEVILL
PATTINSON
SIDDLE
STARC
SYMONDS
TAIT
TAYLOR
VOGES
WARNE

No. 80 Canadian Lakes

D S D T R D J P P I T O G S F
P U T A H O W I A T R I H X Q
A P B U O T I N A M H U R O N
C E O A A O K O Y A L T A T E
I R I B W E K O O R B R E H S
N I R S K N R K F L M L B Q O
D O A A R I T E A E L W T R N
E R T K R V P C P L N A A B E
P U N S R T K A A S K E E A U
S M O J I W P Q H S A B R E L
O X U D A L A C Y I S G G T B
C N E T T I L L I N G I C P Y
T L E N E W V I L L E A D W C
J R S G T A M R W T I C N Y L
T I P P N R S O O O W W O Q X

BLACKWATER
BLUENOSE
CASSIDY
DUBAWNT
FENERTY
GASPEREAU
GREAT BEAR
HURON
KASBA
KIPAHIGAN
MANITOU
NETTILLING
NEWVILLE
ONTARIO
PUTAHOW
SHERBROOKE
SPEDNIC
SUPERIOR
SYLVAN
TATLAYOKO
WILLISTON

WORDSEARCH

No. 81 Creating A Website

R	D	B	A	T	U	Q	D	L	T	S	M	E	N	U
M	E	T	A	T	A	G	L	R	X	H	T	R	S	O
L	W	D	F	Z	K	L	R	Y	O	X	C	A	B	L
L	C	E	I	F	U	N	D	T	A	P	B	R	A	T
T	E	T	B	R	H	Y	I	I	N	I	D	S	N	S
A	N	R	L	B	E	P	I	L	L	R	T	O	D	N
G	A	E	E	E	R	C	H	I	R	P	O	W	W	A
S	R	T	T	L	M	O	T	B	E	E	L	T	I	N
D	Z	O	A	N	M	Y	W	I	S	S	P	R	D	A
R	W	O	L	E	O	G	Y	S	O	O	T	Y	T	L
O	U	F	P	L	P	C	C	S	E	N	R	M	H	Y
W	F	A	M	R	E	D	A	E	H	R	V	O	R	T
Y	G	A	E	T	P	I	R	C	S	A	V	A	J	I
E	E	Q	T	G	T	U	O	C	Z	M	E	E	S	C
K	B	O	U	N	C	E	R	A	T	E	U	T	P	S

ACCESSIBILITY
ANALYTICS
BANDWIDTH
BOUNCE RATE
CONTENT
CSS
DROP-DOWN
FOOTER
HEADER
HOMEPAGE
HYPERLINK
JAVASCRIPT
KEYWORDS
MENU
META TAG
REDIRECTION
TAGS
TEMPLATE
URL
USABILITY
WEB BROWSER

No. 82 North American Birds

O	E	K	N	O	F	I	K	P	C	E	P	D	N	P
G	R	L	S	R	R	R	U	H	O	S	S	H	C	M
H	T	U	K	L	I	S	U	W	O	Y	H	V	L	C
A	I	Q	X	C	G	T	A	S	T	S	A	P	O	L
K	T	E	N	N	A	G	P	W	Z	L	A	W	R	A
Y	E	K	R	U	T	R	D	W	N	L	B	N	I	E
R	R	F	C	A	E	K	G	I	A	I	D	Z	O	Q
S	C	A	I	Y	B	E	Y	A	R	B	A	I	L	V
J	S	L	X	O	I	T	O	D	R	X	R	A	E	A
R	O	C	D	S	R	E	G	A	N	A	T	L	R	P
Y	L	O	W	T	D	O	I	O	E	W	E	T	T	A
U	V	N	F	O	S	L	W	A	T	E	R	G	E	Y
E	U	F	T	R	L	H	G	R	O	U	S	E	P	V
V	S	G	U	K	X	L	I	A	U	Q	K	A	R	Q
U	A	S	X	O	E	R	R	U	X	L	O	A	T	K

COOT
COWBIRD
DARTERS
DOVE
EAGLE
EGRET
FALCON
FRIGATEBIRDS
GANNET
GRACKLE
GROUSE
ORIOLE
OSPREY
PETREL
QUAIL
RAIL
STORK
TANAGERS
TURKEY
WAGTAIL
WAXBILLS

No. 83 Lacrosse

R	E	Y	A	H	N	L	V	J	P	P	T	I	T	W
P	E	V	O	F	T	F	I	E	O	F	R	L	D	R
K	N	L	A	I	N	F	U	C	X	C	W	I	M	R
L	E	M	T	S	W	O	K	J	L	F	P	F	Q	P
P	Y	E	K	S	K	E	V	I	D	A	J	T	K	O
T	R	O	P	S	T	C	A	T	N	O	C	C	T	O
A	F	D	A	E	H	A	I	D	E	W	L	H	I	C
R	B	E	T	O	R	F	D	T	W	H	E	E	L	S
O	A	S	E	Q	T	U	S	B	S	E	P	C	O	C
L	L	A	B	D	N	U	O	R	G	K	I	K	R	R
Z	L	T	S	K	I	N	O	N	N	A	C	T	T	Q
R	H	G	I	B	O	X	S	I	I	R	K	I	A	W
K	U	S	A	L	P	I	K	T	K	A	N	N	U	W
W	N	F	T	E	E	X	A	O	A	R	K	B	Y	Q
R	T	R	L	E	M	S	T	I	R	I	U	F	P	W

BALL HUNT
BOX
CANNON
CONTACT SPORT
DIP AND DUNK
DIVE
FACE-OFF
FEED
GROUND BALL
HEAD
HOLE
KEEPER
LIFT CHECK
PICK
POCKET
POINT
QUICK STICK
RAKING
SCOOP
STICK SAVE
WHEELS

No. 84 Maple Species

O	S	P	L	Q	S	T	I	L	C	W	N	R	S	E
I	T	A	L	I	A	N	R	R	E	V	O	B	C	O
J	A	P	A	N	E	S	E	K	E	S	R	D	J	C
O	D	E	P	I	R	T	S	T	T	D	W	F	A	S
L	H	R	I	S	A	R	R	N	E	I	A	N	E	B
R	B	B	B	N	V	M	L	S	Y	V	Y	F	J	E
X	N	A	Y	A	L	A	M	I	H	O	L	P	L	G
Q	H	R	E	I	L	E	P	T	N	O	M	E	I	I
L	P	K	O	R	E	G	O	N	R	R	A	L	V	P
I	R	L	B	Y	O	A	S	I	L	V	E	R	X	Z
A	Q	A	L	A	G	M	D	E	N	R	O	H	U	O
B	O	H	G	T	L	A	A	J	Z	S	S	L	E	U
R	A	C	S	U	R	K	K	C	A	L	B	W	V	F
F	X	A	G	A	S	R	A	V	Y	I	P	I	A	K
B	I	K	T	R	S	P	A	N	I	S	H	E	W	O

BALKAN
BLACK
CANYON
CHALK
CRETAN
FLORIDA
HIMALAYAN
HORNED
ITALIAN
JAPANESE
MONTPELIER
NORWAY
OREGON
PAPERBARK
RED
SILVER
SPANISH
STRIPED
SUGAR
SYCAMORE
VELVET

WORDSEARCH

No. 85 Artists

V	J	C	O	Y	T	I	T	I	A	N	R	T	A	C
M	A	T	I	S	S	E	D	Y	R	H	R	T	R	J
Y	T	N	R	A	N	P	N	K	C	O	L	L	O	P
C	M	F	G	E	E	L	A	S	A	P	R	A	J	X
L	I	E	B	O	L	E	R	N	E	P	P	O	R	I
V	D	Z	U	W	G	A	B	I	A	E	P	B	L	Y
S	N	E	B	U	R	H	M	D	U	R	L	T	O	U
S	F	A	U	I	E	P	E	N	D	Q	M	K	E	M
R	O	G	O	L	C	A	R	A	V	A	G	G	I	O
A	A	N	O	L	O	R	L	K	G	I	A	Z	E	N
H	E	L	M	Y	S	I	I	R	A	H	C	L	L	E
R	S	O	S	S	A	C	I	P	I	Z	F	K	Q	T
A	R	T	F	A	P	T	Z	R	E	S	E	J	A	Q
S	E	T	R	O	T	H	K	O	Z	S	K	P	C	U
S	T	H	C	E	Z	A	N	N	E	S	W	R	X	V

CARAVAGGIO
CEZANNE
DALI
DEGAS
EL GRECO
GOYA
HOPPER
KANDINSKY
KLEE
MAGRITTE
MATISSE
MONET
PICASSO
POLLOCK
RAPHAEL
REMBRANDT
RENOIR
ROTHKO
RUBENS
TITIAN
VAN GOGH

WORDSEARCH

No. 86 Yellowstone Geysers

T	R	F	Z	Z	S	G	F	O	U	N	T	A	I	N
E	B	P	F	Z	V	E	I	T	P	M	W	P	P	O
U	D	E	O	I	A	O	P	G	S	B	Q	B	R	T
T	R	Q	A	R	L	U	L	L	I	M	W	A	S	C
Y	R	H	L	D	K	C	A	S	T	L	E	K	E	Y
S	Y	E	L	A	N	C	P	Y	P	R	R	L	E	U
D	S	T	G	K	Y	A	H	B	U	C	G	I	B	B
S	I	S	A	L	S	G	R	O	T	T	O	P	H	O
T	A	L	I	O	U	M	Z	G	P	E	L	L	P	W
U	D	U	E	C	B	B	X	S	E	C	T	U	Q	E
X	Y	R	R	M	I	M	P	L	Y	H	S	M	L	L
H	B	S	T	J	M	A	A	E	V	I	H	E	E	B
T	A	P	O	K	R	A	U	E	E	N	I	Y	Y	Y
W	B	U	E	U	C	O	M	E	T	U	S	F	L	G
L	H	G	R	V	E	X	C	E	L	S	I	O	R	S

BABY DAISY
BEAD
BEEHIVE
BIG CUB
BIJOU
BULGER
CASTLE

CLIFF
COMET
DILEMMA
ECHINUS
EXCELSIOR
FEARLESS
FOUNTAIN

GRAND
GROTTO
PLUME
PORKCHOP
SAWMILL
STEAMBOAT
WHIRLIGIG

WORDSEARCH

No. 87 May Day

O	C	A	V	N	N	U	T	Z	E	M	W	T	I	Z
X	E	L	O	P	Y	A	M	S	P	R	I	N	G	W
W	L	S	B	A	N	K	H	O	L	I	D	A	Y	A
F	E	S	T	I	V	I	T	I	E	S	I	T	T	W
N	B	S	Y	A	M	F	O	T	S	R	I	F	M	X
T	R	A	D	I	T	I	O	N	A	L	A	A	A	T
R	A	O	N	A	Q	Y	S	G	I	S	Y	X	Y	R
T	T	C	H	C	P	T	B	T	A	M	E	E	Q	A
Z	I	Z	Y	T	I	L	R	R	O	R	E	T	U	M
F	O	U	S	C	W	E	L	R	I	O	L	L	E	S
N	N	A	K	P	F	A	N	E	Q	B	I	A	E	F
T	R	S	K	L	R	I	H	T	B	R	B	U	N	I
N	G	N	I	C	N	A	D	S	I	R	R	O	M	D
P	U	O	S	G	N	I	R	E	H	T	A	G	N	F
T	S	F	E	I	H	C	R	E	K	D	N	A	H	S

ANCIENT
BANK HOLIDAY
BELL PADS
CELEBRATION
FESTIVITIES
FETES
FIRST OF MAY
FUN
GARLAND
GATHERINGS
HANDKERCHIEFS
HAWTHORN
MAY MORNING
MAY QUEEN
MAYPOLE
MORRIS DANCING
RIBBONS
SOIL FERTILITY
SPRING
STICKS
TRADITIONAL

No. 88 Dinosaurs

R	N	O	D	O	N	A	U	G	I	S	V	A	P	K
G	B	D	E	I	X	J	F	C	U	Y	E	L	O	X
R	A	I	R	S	P	O	T	P	Y	R	K	L	V	A
W	R	C	K	O	Q	L	O	A	O	V	J	O	I	S
A	O	L	E	A	T	T	O	S	M	E	B	S	R	T
R	S	O	T	O	L	P	T	D	I	L	U	A	A	R
O	A	N	U	A	R	E	A	N	O	O	T	U	P	O
T	U	I	S	P	O	T	A	R	E	C	I	R	T	D
A	R	U	O	N	R	A	R	Y	O	I	U	U	O	O
T	U	S	P	I	N	O	S	A	U	R	U	S	R	N
I	S	U	R	U	A	T	O	N	R	A	C	R	L	A
R	X	Y	N	O	P	Y	R	G	K	P	M	I	M	T
R	S	U	R	U	A	S	O	G	E	T	S	I	M	R
I	P	D	Y	S	U	H	C	Y	N	O	N	I	E	D
H	A	N	K	Y	L	O	S	A	U	R	U	S	E	E

AEROSTEON
ALLOSAURUS
ANKYLOSAURUS
ASTRODON
BAROSAURUS
CARNOTAURUS
DEINONYCHUS
DICLONIUS
DIPLODOCUS
ERKETU
GRYPONYX
IGUANODON
IRRITATOR
KRYPTOPS
MICRORAPTOR
OVIRAPTOR
SALTOPUS
SPINOSAURUS
STEGOSAURUS
TRICERATOPS
VELOCIRAPTOR

WORDSEARCH

No. 89 Sauces

P	E	A	N	U	T	M	Q	O	A	P	O	A	L	R
S	S	P	S	E	B	O	I	I	S	S	T	S	O	S
B	E	U	R	R	E	B	L	A	N	C	N	Y	U	Z
A	N	H	W	I	U	S	O	T	A	Y	S	W	R	A
T	G	C	Z	H	R	S	I	P	V	T	E	E	X	I
P	O	T	D	S	R	K	A	A	E	B	M	W	S	U
R	L	E	V	R	E	S	R	R	L	O	R	Q	A	S
O	O	K	X	E	M	G	I	S	U	E	A	E	R	G
V	B	I	R	T	A	R	P	L	V	D	D	B	A	E
A	T	A	O	S	N	Z	A	E	U	U	R	R	N	D
Q	N	U	R	E	I	D	R	Y	S	O	R	O	O	L
T	I	O	T	C	E	L	P	P	A	T	C	W	B	B
U	M	A	E	R	C	D	A	L	A	S	O	N	R	R
R	M	A	Y	O	N	N	A	I	S	E	S	E	A	G
X	P	I	E	W	P	R	R	C	D	I	T	A	C	F

AIOLI
APPLE
BEURRE BLANC
BEURRE MANIE
BOLOGNESE
BORDELAISE
BREAD
BROWN
CARBONARA
COULIS
GRAVY
KETCHUP
MAYONNAISE
MINT
OYSTER
PARSLEY
PEANUT
PESTO
REMOULADE
SALAD CREAM
WORCESTERSHIRE

No. 90 'C' Celebrities

L	L	E	O	L	V	I	R	J	E	G	A	C	H	X
S	A	R	G	S	D	P	U	N	G	I	A	R	C	T
T	R	C	Z	I	S	I	R	O	K	G	U	C	L	L
P	E	Y	S	T	O	E	X	L	N	N	Y	T	O	B
B	H	L	D	R	S	L	T	E	E	Q	E	A	S	G
Y	G	L	L	U	I	A	Y	S	D	Y	R	H	E	Y
B	A	A	K	C	A	S	U	C	R	E	R	U	O	A
T	Z	R	R	H	H	L	M	S	O	N	A	O	N	I
U	L	T	Y	U	A	I	O	S	C	O	C	S	L	V
J	A	T	F	T	W	S	K	Y	E	O	G	S	P	Y
B	C	A	M	P	B	E	L	L	N	L	W	A	D	T
S	A	C	H	A	P	L	I	N	I	C	I	E	N	S
G	I	C	R	U	I	S	E	A	O	S	F	H	L	V
F	N	T	R	Z	R	R	U	X	A	I	S	H	C	L
J	E	P	D	G	Y	R	R	F	T	A	O	D	L	U

CAGE
CAGNEY
CAINE
CALZAGHE
CAMPBELL
CARREY
CATTRALL
CHAPLIN
CHIKLIS
CHILES
CLOONEY
CLOSE
CONNERY
COOGAN
CORDEN
COWELL
COX
CRAIG
CRUISE
CURTIS
CUSACK

No. 91 Carrots

C	U	S	G	I	A	S	A	I	T	E	I	O	M	S
B	T	W	N	U	I	H	P	O	T	G	I	B	A	D
R	L	E	I	P	I	M	P	E	R	N	E	L	E	A
L	K	E	K	U	Y	U	S	Y	R	O	T	W	S	N
O	U	T	N	R	N	A	S	E	A	A	S	O	T	V
L	V	T	M	P	A	O	N	R	T	W	D	E	R	E
U	I	R	U	L	A	M	G	E	C	N	A	M	O	R
O	T	E	T	E	K	R	S	A	T	A	A	Y	I	S
R	A	A	U	H	I	A	T	I	R	N	E	N	L	R
E	L	T	A	A	M	S	T	E	R	D	A	M	R	F
L	O	A	T	Z	O	R	T	U	M	A	A	H	O	T
O	N	U	S	E	L	P	R	U	P	I	P	P	C	P
B	G	H	T	S	U	S	I	S	I	X	S	T	K	L
S	A	R	T	I	S	T	A	J	F	G	G	O	E	I
S	B	P	H	S	D	B	U	O	P	Z	V	N	T	I

AMSTERDAM
ARTEMIS
ARTIST
ATLAS
AUTUMN KING
BIG TOP
BOLERO
CHANTENAY
DANVERS
DRAGON
FLYAWAY
MAESTRO
NANTES
PARIS MARKET
PIMPERNEL
PURPLE HAZE
PURPLE SUN
ROCKET
ROMANCE
SWEET TREAT
VITA LONGA

No. 92 Sinclair Lewis

O	W	X	G	A	R	G	T	S	Y	O	A	T	P	E
E	I	T	S	R	R	L	Y	M	A	U	T	H	O	R
X	Q	H	T	R	I	A	T	A	L	R	E	L	W	H
B	A	E	T	T	A	D	A	N	E	M	L	D	U	T
P	R	W	I	E	E	V	Q	T	O	R	B	L	E	R
L	R	H	B	O	E	E	I	R	E	W	A	L	R	O
A	O	I	B	E	R	R	O	A	R	R	M	H	T	W
Y	W	S	A	Z	F	T	T	P	U	E	E	O	N	S
W	S	P	B	Z	Y	I	S	S	R	N	R	B	E	D
R	M	E	O	A	A	S	F	G	N	N	I	O	C	O
I	I	R	W	J	T	I	A	Z	U	I	C	H	K	D
G	T	E	M	I	N	N	E	S	O	T	A	E	U	K
H	H	R	I	R	T	G	A	A	P	R	N	M	A	Z
T	E	Z	I	R	P	L	E	B	O	N	S	I	S	J
A	J	A	Y	H	A	W	K	E	R	P	G	A	R	Y

AMERICAN
ARROWSMITH
AUTHOR
BABBITT
DODSWORTH
ELMER GANTRY
FREE AIR
GLADVERTISING
HOBOHEMIA
JAYHAWKER
JAZZ
MAIN STREET
MANTRAP
MINNESOTA
NOBEL PRIZE
OUR MR WRENN
PLAYWRIGHT
SAUK CENTRE
THE WAY TO ROME
THE WHISPERER
YALE

WORDSEARCH

No. 93 British Fashion Designers

N	J	Q	H	J	I	R	D	L	Y	A	W	E	K	H
L	O	D	C	T	C	N	A	M	I	E	S	A	E	S
E	A	T	X	Z	T	H	A	B	M	P	E	T	K	O
C	M	J	R	D	G	Z	B	R	R	A	W	R	L	J
M	U	X	P	U	I	F	C	A	N	X	O	K	M	T
T	I	T	D	S	B	V	M	L	S	O	L	C	Q	S
L	R	L	G	L	S	S	A	V	L	I	C	B	I	Q
S	N	Q	L	L	O	P	C	D	I	A	E	L	E	A
B	O	A	T	E	N	G	D	X	R	C	D	R	C	R
T	T	F	N	N	R	X	O	T	K	M	K	O	V	S
E	S	S	A	T	W	C	N	H	E	T	K	E	O	B
W	D	U	U	R	L	E	A	S	H	L	E	Y	R	W
E	I	A	Q	A	Y	M	L	B	R	H	O	D	E	S
T	K	R	R	H	I	N	D	M	A	R	C	H	I	S
P	A	K	O	U	E	L	B	T	A	Q	A	P	A	U

AMIES
ASHLEY
BECKHAM
BOATENG
BURTON
CLARK
CLOWES

CONRAN
DAVID
GIBSON
HARTNELL
HINDMARCH
KIDSTON
MACDONALD

MCCARTNEY
MILLER
MUIR
QUANT
RHODES
VICKERS
WOODALL

No. 94 Insurance Terminology

E	E	T	N	A	R	A	U	G	A	T	R	Z	J	L
M	C	L	C	O	N	T	R	A	C	T	A	G	H	A
U	N	O	L	T	I	E	Z	I	U	M	P	A	T	J
I	A	O	A	W	Y	T	N	I	A	T	R	E	C	U
M	R	F	I	N	A	N	C	I	A	L	L	O	S	S
E	U	T	M	T	R	R	D	E	E	D	V	U	A	U
R	S	T	S	D	A	I	R	S	T	E	S	F	V	R
P	S	S	A	E	Y	S	K	A	N	O	E	A	S	E
S	A	W	D	P	H	K	N	A	N	G	R	E	H	T
L	K	O	J	O	F	O	N	E	U	T	C	P	E	Y
C	R	C	U	S	I	T	P	A	P	U	Y	P	D	J
N	O	I	S	I	V	O	R	P	R	M	L	U	G	F
L	K	V	T	T	T	D	U	I	O	Y	O	F	E	O
I	N	D	E	M	N	I	T	Y	A	V	E	C	F	L
P	R	I	R	R	F	Y	R	S	I	D	S	R	E	U

ASSURANCE
CERTAINTY
CLAIMS ADJUSTER
COMPENSATION
CONTRACT
COVENANT
COVER
DEED
DEPOSIT
FINANCIAL LOSS
GUARANTEE
HEDGE
INDEMNITY
PREMIUM
PROTECTION
PROVISION
RISK
SAFEGUARD
SECURITY
SURETY
WARRANTY

WORDSEARCH

No. 95 Onions

H	U	Z	D	I	I	V	D	L	G	W	U	R	B	T
S	T	T	T	L	S	R	E	A	F	U	R	G	J	S
I	C	I	T	A	M	O	R	A	L	L	I	U	M	S
N	H	Z	N	R	N	L	E	I	J	A	R	T	S	O
R	O	N	E	C	I	R	D	F	T	I	C	P	H	W
A	P	I	G	C	V	V	W	S	V	A	R	K	Y	A
G	P	W	N	O	N	I	O	N	R	I	N	G	S	R
T	E	C	U	O	M	R	P	A	N	S	O	T	P	L
U	D	S	P	U	D	T	M	G	T	O	I	V	I	F
T	I	W	H	I	T	E	O	N	I	O	N	S	C	K
S	R	E	Y	A	L	N	R	P	B	I	O	A	K	S
L	S	Z	U	I	I	B	E	U	I	K	E	E	L	S
I	Q	K	S	O	N	E	L	B	A	T	E	G	E	V
I	D	E	N	C	L	B	S	P	L	S	R	T	S	G
S	D	K	H	G	E	T	S	Y	E	N	T	U	H	C

ALLIUM
AROMATIC
BULB
CARAMELISED
CHOPPED
CHUTNEYS
GARLIC
GARNISH
IRRITANT
LAYERS
LEEK
ONION RINGS
PEEL
PICKLES
POWDERED
PUNGENT
RED ONION
SPRING ONION
TREE ONION
VEGETABLE
WHITE ONION

WORDSEARCH

No. 96 Train Stations In England

O	L	P	G	N	I	L	L	E	W	R	D	W	A	D
M	Q	A	I	A	K	V	V	H	M	S	D	H	N	O
U	O	R	N	X	G	N	I	D	A	E	R	I	O	R
R	U	A	B	A	C	A	L	D	I	C	O	T	T	I
K	C	E	B	K	R	I	B	L	S	O	F	T	T	R
T	H	G	N	H	C	K	Y	C	O	P	N	O	U	A
A	E	D	O	R	P	H	C	N	A	S	I	N	S	A
P	S	I	D	P	U	C	A	D	U	P	A	T	F	D
V	H	R	D	P	F	O	D	R	B	A	R	N	E	S
W	U	B	A	W	R	I	B	B	L	E	H	E	A	D
W	N	M	W	I	N	I	F	G	A	T	X	M	O	A
R	T	A	E	G	T	B	O	T	N	H	O	L	E	U
S	S	C	T	O	R	O	H	R	K	A	R	N	E	U
S	E	O	N	U	T	A	G	N	I	P	P	A	W	Y
C	N	H	I	M	M	A	H	S	R	E	M	A	S	E

AMERSHAM
BARNES
BEXLEY
BIRKBECK
CALDICOT
CAMBRIDGE
CHARLTON
CHESHUNT
LANARK
PADDINGTON
PANGBOURNE
RAINFORD
READING
RIBBLEHEAD
STREATHAM
SURBITON
SUTTON
WADDON
WAPPING
WELLING
WHITTON

WORDSEARCH

No. 97 Morocco

R	P	D	A	Z	S	S	A	Z	A	Y	Z	B	E	H
R	X	O	S	A	H	A	R	A	D	E	S	E	R	T
B	P	F	J	V	P	I	Q	C	F	Y	T	M	R	E
S	F	G	R	V	J	G	M	I	A	K	E	T	U	T
G	C	P	S	E	M	A	H	R	I	D	R	E	B	O
C	T	A	S	R	N	D	C	F	E	F	A	A	G	U
R	A	S	S	A	K	C	Y	A	R	N	N	S	B	A
I	E	T	O	A	F	A	H	H	R	S	I	S	B	N
D	U	I	E	C	B	F	C	T	O	E	M	G	U	R
A	O	L	G	S	I	L	R	R	D	U	G	G	A	R
G	K	L	S	N	D	V	A	O	A	L	J	T	Q	T
A	A	A	I	A	A	A	N	N	N	A	N	D	C	K
E	L	A	T	V	M	T	O	A	C	P	Z	I	A	S
E	M	E	K	N	E	S	M	T	F	A	T	A	Z	S
N	S	J	A	R	S	S	N	M	B	P	A	P	B	S

AGADIR
BAZAAR
CASABLANCA
DATES
DIRHAM
FEZ
FRENCH
MEKNES
MINARETS
MONARCHY
NADOR
NORTH AFRICA
OLIVES
OUJDA
PASTILLA
SAFFRON
SAHARA DESERT
SALE
TAGINE
TANGIER
TETOUAN

No. 98 Insects

```
M I H Y V R O P I H O R N E T
O A R O T I U Q S O M S O E A
N M Y A N K E U U A T I R T E
E Y L F R E T T U B W M I A L
V R F F L A Y G C R I C K E T
E Q N I G Y I B G T O A M X E
L Y O T S R Z L E C L W M Q E
A D G D L T A H K E F A I F B
U L A D Y B I R D O F M I R T
F A R E P P O H S S A R G M R
B E D A T A A A N I E U F Q I
F L S A C Z S L P F T A N G R
R F I H C R U M L G S N K P R
A E A R W I G Y C T P R A H G
B V S B T S C S R O H T O M O
```

BEETLE
BUTTERFLY
CICADA
COCKROACH
CRICKET
DRAGONFLY
EARWIG
FIREFLY
FLEA
GNAT
GRASSHOPPER
HONEYBEE
HORNET
LADYBIRD
MANTIS
MAYFLY
MOSQUITO
MOTH
TERMITE
VENOM
WASP

WORDSEARCH

No. 99 Rubbish

```
C D J R V J A R P G K D D H B
P U E H S U E K M A I W G S D
K P G B X Y T G R M H S S A R
H M O U R P L R H O I Y S H O
T O K N A I H E T L L W U N S
S B K K R O S C R A P B T R S
T G H U F L I M F L A M U W N
P T O M M Y R O T R K X Q P D
H H G Y O E E J B L A R N E Y
G S W J D D B N C T U U P S R
A O A A T R B B O V M K T U R
L T S R S A I Q I L J U A F U
G H H A T T G V B L A T H E R
O U O H O O E Y E T G B F R I
Y T L K B P I F F L E E V R L
```

BALONEY
BILGE
BLARNEY
BLATHER
BUNKUM
DEBRIS
DRIVEL

DROSS
FLIMFLAM
GIBBERISH
HOGWASH
HOKUM
HOOEY
PIFFLE

REFUSE
RHUBARB
SCRAP
TOMMYROT
TOSH
TRASH
WASTE

No. 100 Liberia

Z	S	I	I	A	S	P	K	T	X	J	Y	M	I	Q
Y	P	P	U	Y	M	F	M	R	M	M	I	O	Z	A
R	T	Y	E	A	T	A	K	A	K	O	R	U	R	Y
E	G	I	A	L	R	N	R	L	P	N	Z	T	U	S
T	Z	B	N	S	L	Y	U	L	R	R	R	U	S	T
K	N	R	H	A	L	I	B	O	P	O	L	U	P	Y
S	J	A	A	A	I	Q	V	D	C	V	S	B	K	M
Z	L	E	N	T	E	T	G	N	H	I	N	A	D	P
L	S	D	I	A	Y	E	S	A	O	A	M	L	S	Z
E	U	T	D	N	H	E	G	I	N	S	R	O	E	Q
B	R	T	E	O	L	C	K	R	R	T	N	P	B	L
R	D	U	R	Z	P	B	U	E	E	H	A	E	E	O
A	E	Q	R	U	O	P	M	B	P	V	C	L	B	R
H	W	E	S	T	A	F	R	I	C	A	I	I	T	V
H	Z	I	S	A	E	N	G	L	I	S	H	R	P	I

BENSONVILLE
BOMI COUNTY
BOPOLU
BUCHANAN
BUUTUO
CHRISTIANITY
EDINA
ENGLISH
GANTA
HARBEL
HARPER
KAKATA
LIBERIAN DOLLAR
MARSHALL
MARYLAND
MONROVIA
RIVER GEE
TUZON
WEST AFRICA
YEKEPA
ZWEDRU

WORDSEARCH

No. 101 Whitney Houston Songs

G	N	I	H	T	O	N	E	V	A	H	I	Y	N	L
R	R	A	B	S	W	T	Y	U	N	T	R	S	S	G
Z	C	S	T	E	P	B	Y	S	T	E	P	F	H	D
R	E	X	H	A	L	E	K	O	E	V	I	U	P	C
R	U	N	T	O	Y	O	U	S	J	L	M	O	G	O
U	C	H	S	I	W	E	N	O	F	P	E	Y	B	U
A	E	V	O	L	R	E	H	G	I	H	V	O	I	N
E	L	C	A	R	I	M	F	V	T	S	E	T	B	T
M	E	R	O	M	Y	N	A	I	U	O	R	K	O	O
D	B	S	T	R	Y	I	T	O	N	M	Y	O	W	N
L	R	B	T	G	W	M	N	U	M	E	W	O	O	M
O	A	N	A	M	T	A	H	T	E	V	O	L	U	E
H	T	E	L	I	B	A	H	A	I	T	M	I	T	B
U	E	Z	E	C	N	O	T	A	L	L	A	N	I	L
D	R	R	S	O	E	M	O	T	I	O	N	A	L	T

ALL AT ONCE
ANYMORE
CELEBRATE
COUNT ON ME
EXHALE
FINE
HIGHER LOVE
HOLD ME
I BELONG TO YOU
I BOW OUT
I HAVE NOTHING
I LOOK TO YOU
I'M EVERY WOMAN
JOY
LOVE THAT MAN
MIRACLE
ONE WISH
RUN TO YOU
SO EMOTIONAL
STEP BY STEP
TRY IT ON MY OWN

No. 102 Percussion Instruments

V M A R A C A S T A N E T S A
G M A D L T A B M I R O L Y X
E O W R L Q T T U Q O C A J U
G L N T I K E E R T L L E B K
Q A K G T M L E D W U R S Z X
Z B X C H O B M E R N P P Y M
L M E N O H P A R B I V L H O
J I I H P L E Q A T L O A E T
A C N T H N B R N I P N I R M
L A A E O A T D S H D N I O O
P U P E N I R U O B M A T C T
E T M V E J P N E O N Z S W R
H S I I M I E L L G W E I I K
P L T B A A L S L A B M Y C O
A E R A T T L E L T S I H W W

ANVIL
BELL TREE
CASTANETS
CIMBALOM
CYMBALS
GONG
HAND BELL
LITHOPHONE
MARACAS
MARIMBA
RATTLE
SNARE DRUM
TAMBOURINE
TIMPANI
TOM-TOM
TRIANGLE
VIBRAPHONE
WHISTLE
WOOD BLOCK
XYLOPHONE
XYLORIMBA

WORDSEARCH

No. 103 Playing Cards

F	O	T	S	H	W	S	P	M	S	M	D	B	Y	T
P	R	H	S	U	I	F	Y	R	E	P	H	K	T	O
C	F	A	U	J	L	S	O	S	O	G	L	G	N	P
V	E	G	R	S	I	T	U	K	T	U	D	N	U	L
Z	E	Z	P	S	A	I	E	G	A	B	B	I	R	C
T	A	K	A	H	T	R	I	P	R	C	P	K	R	Y
O	S	U	C	S	D	N	O	M	A	I	D	R	J	B
S	R	Z	T	A	I	N	D	N	C	E	S	I	O	L
C	H	E	A	R	T	S	A	R	C	T	P	W	K	S
O	F	E	L	O	D	S	L	K	A	Z	A	I	E	N
C	J	W	O	A	T	P	L	K	B	C	D	V	R	A
G	C	N	P	A	E	E	U	Q	I	Z	E	B	S	P
K	T	E	C	U	E	D	Y	O	O	N	S	C	B	A
W	J	Y	L	X	A	U	G	U	S	P	X	A	A	S
K	B	K	Y	G	W	G	T	Y	E	W	R	X	P	F

BACCARAT
BEZIQUE
BRIDGE
CANASTA
CRIBBAGE
DEALER
DECK
DEUCE
DIAMONDS
FACE CARD
HEARTS
JOKER
KING
POKER
PONTOON
RUN
SEVENS
SNAP
SPADES
STACK
SUITS

No. 104 Email Terms

D	R	S	U	I	N	R	D	S	A	T	Y	T	R	Y
B	O	U	N	C	E	I	M	H	E	A	D	E	R	N
L	H	W	A	J	Z	I	R	A	F	N	U	U	L	Q
O	O	G	N	I	H	S	I	H	P	C	D	R	N	U
C	M	S	E	L	U	R	E	G	A	S	S	E	M	A
K	N	I	T	P	O	Q	Z	R	W	A	W	T	R	G
A	N	F	U	K	P	A	B	T	S	M	S	T	A	R
K	L	U	O	R	Z	O	D	I	E	R	S	E	Q	H
F	T	A	J	R	N	S	G	S	N	S	P	L	N	O
D	O	Y	L	C	W	N	S	L	T	U	R	S	O	T
E	W	L	O	U	A	A	S	F	I	B	G	W	R	G
U	Y	P	D	T	G	P	R	I	T	J	L	E	I	B
O	Y	E	U	E	E	P	J	D	E	E	N	N	S	E
T	P	R	I	O	R	I	T	Y	M	C	S	I	R	F
F	E	B	L	A	C	K	L	I	S	T	S	R	Y	N

BLACKLIST
BLOCK
BOUNCE
CARBON COPY
DOWNLOAD
FOLDER
FORWARD
HEADER
JUNK
MESSAGE RULES
NEW MESSAGE
NEWSLETTER
OPT IN
PHISHING
PRIORITY
REPLY
SENDER
SENT ITEMS
SIGNATURE
SPAM
SUBJECT

WORDSEARCH

No. 105 The British Museum

E	R	L	Y	C	U	R	G	U	S	C	U	P	U	B
I	O	B	D	R	A	O	H	E	N	X	O	H	R	L
V	S	Y	E	L	G	I	N	M	A	R	B	L	E	S
Q	E	R	U	T	L	U	C	P	T	O	O	W	A	I
Y	T	O	S	C	R	O	L	L	S	N	I	Z	D	E
R	T	T	G	Q	B	O	A	R	D	S	M	S	I	M
U	A	S	N	L	T	N	Z	O	C	I	P	E	N	E
B	S	I	I	A	D	Y	N	H	H	L	T	R	G	A
S	T	H	W	V	G	R	E	A	T	C	O	U	R	T
M	O	W	A	H	S	S	Z	Y	R	E	T	T	O	P
O	N	S	R	Q	S	T	N	I	R	P	O	P	O	U
O	E	L	D	M	G	B	R	T	Y	X	L	L	M	Z
L	Y	R	E	L	L	A	G	N	E	E	V	U	D	M
B	E	N	I	N	B	R	O	N	Z	E	S	C	D	R
P	H	L	D	I	S	C	O	B	O	L	U	S	S	M

ART
BENIN BRONZES
BLOOMSBURY
CULTURE
DISCOBOLUS
DRAWINGS
DUVEEN GALLERY
ELGIN MARBLES
GREAT COURT
HISTORY
HOXNE HOARD
LEWIS CHESSMEN
LONDON
LYCURGUS CUP
PORTLAND VASE
POTTERY
PRINTS
READING ROOM
ROSETTA STONE
SCROLLS
SCULPTURES

No. 106 Entertainment

```
P E A H E E A P Z A S M P L E
P U R R O U Y V H D A U E O P
M T M T E P S E W A K K F L G
U U L S A P L Y K T I I A K Z
S A I K T E G F A E J Y I R P
E T C R W O H S Y T E I R A V
U A L O A I R T F T A D G P A
M B O W P U A Y I P R A R E X
I G W E O E Q W T A M A B M I
B M N R E A R A M E E E U E X
L A C I S U M A S S L N S H J
M G L F C I R C U S G L K T Q
T I S L D N O C L U B B I N G
T C I N E M A U A S R W N N F
U S K I W T U D N R Z W G A G
```

AQUARIUM
BALLET
BUSKING
CINEMA
CIRCUS
CLOWN
CLUBBING
DANCING
DRAMA
FAIR
FIREWORKS
GAMES
MAGIC
MUSEUM
MUSICAL
OPERA
PLAY
STORYTELLING
THEATRE
THEME PARK
VARIETY SHOW

WORDSEARCH

No. 107 Board Games

P	A	L	O	C	I	R	G	A	L	T	R	L	S	S
O	C	B	P	B	S	B	B	D	A	S	U	P	O	P
M	J	A	A	A	S	C	L	U	E	D	O	I	T	U
O	S	T	R	A	T	E	G	O	O	I	F	C	H	N
N	A	T	A	C	F	O	S	R	E	L	T	T	E	S
O	E	L	B	B	A	R	C	S	B	U	C	I	L	T
P	S	E	S	Y	B	S	L	I	I	E	E	O	L	S
O	Z	S	H	L	L	U	S	B	S	O	N	N	O	O
L	O	H	E	L	O	O	K	O	S	I	N	A	L	H
Y	Z	I	F	H	R	I	P	I	N	K	O	R	X	G
U	S	P	F	R	C	N	Y	O	M	N	C	Y	T	H
P	F	P	Y	S	H	E	A	A	T	M	E	N	L	I
C	N	N	V	A	A	G	A	T	L	O	U	A	R	I
T	G	Z	S	B	P	N	E	R	I	R	T	R	R	S
A	V	W	I	M	R	I	S	K	T	T	L	E	P	J

AGRICOLA
BATTLESHIP
CARCASSONNE
CHESS
CLUEDO
CONNECT FOUR
GHOSTS
INGENIOUS
LUDO
MONOPOLY
OBSESSION
OTHELLO
PICTIONARY
RISK
RUMMIKUB
SCRABBLE
SETTLERS OF CATAN
SORRY!
STRATEGO
TITAN
TOTOPOLY

No. 108 Christmas

R G O P T L W P J A R M O M L
S H P L O D U R X T A E X J E
L C T N E V D A O Y I E F R E
E X H I Q R K N A M L N K K G
I T S E I T V C A R O L S N A
G O A M S T N E S E R P O E A
H S N O I T A R O C E D W H L
U T T A M S N A T I V I T Y Y
L B A O B N T U A K S L H U P
E W C E C R A L T I K B L T L
N I L U R K E M E S T E C T W
R X A T Q W I H W T L D P T T
E T U R K E Y N S O O A Y D U
D R S T O B O G G A N E R V X
G O O D W I L L I S D S R N L

ADVENT
CAROLS
CHESTNUTS
DASHER
DECORATIONS
GOODWILL
HOLLY

MISTLETOE
NATIVITY
PRANCER
PRESENTS
RUDOLPH
SANTA CLAUS
SLEIGH

SNOWMAN
STOCKINGS
TINSEL
TOBOGGAN
TURKEY
WREATH
YULE LOG

No. 109 Confidence

F	B	E	J	N	A	A	A	L	T	Y	K	Q	T	R
M	E	T	T	L	E	F	L	A	H	R	C	Q	I	L
N	O	I	T	U	L	O	S	E	R	P	U	A	I	I
O	E	M	L	R	Y	R	C	C	C	F	L	S	W	P
I	V	R	V	E	F	T	L	R	O	I	P	S	T	O
T	M	T	V	A	B	I	N	K	E	U	Q	U	T	U
C	J	P	I	E	D	T	R	I	C	D	R	R	P	P
I	K	T	U	A	J	U	U	M	A	O	E	A	Q	O
V	H	E	E	D	X	D	I	Z	N	T	L	N	G	W
N	P	O	I	S	E	E	O	T	I	E	R	C	C	E
O	Y	T	I	C	A	N	E	T	M	H	S	E	K	E
C	O	E	N	O	B	K	C	A	B	V	E	S	C	Y
B	O	L	D	N	E	S	S	E	N	H	S	A	R	B
C	R	U	A	S	S	G	N	H	H	I	F	B	R	W
A	O	S	V	C	O	D	O	B	L	Z	M	V	B	T

ASSURANCE
BACKBONE
BELIEF
BOLDNESS
BRASHNESS
CERTAINTY
CONVICTION
COURAGE
CREDENCE
FAITH
FIRMNESS
FORTITUDE
HEART
IMPUDENCE
METTLE
NERVE
PLUCK
POISE
RESOLUTION
TENACITY
TRUST

WORDSEARCH

No. 110 Taylor Swift

S	Q	Z	Z	C	A	C	R	R	F	R	Q	J	M	H
P	L	I	L	I	R	I	T	S	E	G	N	A	H	C
O	B	P	W	V	E	A	U	K	A	D	E	E	O	O
E	O	O	Y	O	S	L	Z	U	R	E	S	A	S	D
M	N	W	T	L	U	A	Y	I	L	P	H	T	N	X
M	P	I	I	H	F	I	F	T	E	E	N	G	E	R
W	Y	U	M	T	O	S	U	A	S	R	U	O	Y	Q
P	R	D	M	T	Y	F	K	I	S	V	L	A	E	Y
L	O	T	C	V	R	N	U	R	O	N	A	N	S	J
X	T	E	G	O	O	S	T	S	A	M	S	B	O	I
R	S	Q	R	W	T	I	C	S	W	P	E	Z	P	E
R	E	C	A	P	S	K	N	A	L	B	S	A	E	A
E	V	A	W	B	E	G	I	N	A	G	A	I	N	M
T	O	E	N	C	H	A	N	T	E	D	T	T	Z	J
U	L	F	F	O	T	I	E	K	A	H	S	I	O	N

BEGIN AGAIN
BLANK SPACE
BOTH OF US
CHANGE
CRAZIER
ENCHANTED
EYES OPEN
FEARLESS
FIFTEEN
LOVE STORY
MEAN
MINE
OURS
RED
RONAN
SHAKE IT OFF
SPARKS FLY
SPEAK NOW
STYLE
THE STORY OF US
TIM MCGRAW

No. 111 Sylvester Stallone

E	R	M	T	U	K	Y	T	A	E	S	R	P	P	A
L	R	E	G	N	A	H	F	F	I	L	C	A	R	O
P	S	K	W	A	H	T	H	G	I	N	R	V	V	D
S	N	W	S	M	T	E	O	B	M	A	R	E	T	I
B	I	J	O	N	J	X	O	T	D	G	R	N	T	R
J	S	U	R	O	C	K	Y	I	S	T	R	G	H	E
S	S	D	E	I	R	C	S	C	H	P	G	I	G	C
N	A	G	U	T	H	E	O	E	R	R	N	N	I	T
Z	S	E	L	I	A	C	T	O	R	E	A	G	L	O
I	S	D	E	L	T	O	D	P	S	O	R	A	Y	R
B	A	R	L	O	P	U	A	T	S	U	B	N	A	L
M	M	E	P	M	C	F	O	C	E	I	O	G	D	M
P	Y	D	I	E	D	N	A	L	P	O	C	E	S	T
A	G	D	R	D	E	R	P	U	K	C	O	L	Z	U
T	E	X	G	F	I	R	S	T	B	L	O	O	D	R

ACTOR
ASSASSINS
AVENGING ANGELO
CLIFFHANGER
COBRA
COP LAND
D-TOX
DAYLIGHT
DEMOLITION MAN
DIRECTOR
FIRST BLOOD
JUDGE DREDD
LOCK UP
NIGHTHAWKS
OSCAR
OVER THE TOP
PARADISE ALLEY
PRODUCER
RAMBO
RHINESTONE
ROCKY

No. 112 Big Brother

C	R	O	I	D	M	O	O	R	Y	R	A	I	D	E
R	Y	L	A	N	C	L	A	R	K	N	E	A	L	S
A	S	L	K	O	R	A	C	H	E	L	R	I	C	E
I	N	I	R	S	J	W	E	E	R	B	P	H	O	T
G	A	R	A	R	O	O	L	M	T	S	L	E	N	A
P	V	R	O	E	S	H	E	M	T	O	A	L	T	M
H	E	U	L	D	I	S	B	A	E	P	Y	E	E	E
I	M	B	E	N	E	V	R	W	N	H	T	N	S	S
L	A	N	B	A	G	T	I	I	N	I	I	W	T	U
L	S	O	N	E	I	L	T	L	E	E	L	O	A	O
I	S	S	A	K	B	T	I	L	B	R	A	O	N	H
P	K	A	I	U	S	A	E	I	E	E	E	D	T	O
S	S	J	R	L	O	R	S	S	T	A	R	Y	S	T
G	A	N	B	V	N	S	Z	M	E	D	M	S	S	T
E	T	O	V	C	I	L	B	U	P	E	U	B	W	O

BRIAN BELO
CELEBRITIES
CHLOE WILBURN
CONTESTANTS
CRAIG PHILLIPS
DIARY ROOM
EMMA WILLIS
HELEN WOOD
HOUSEMATES
JASON BURRILL
JOSIE GIBSON
LUKE ANDERSON
PETE BENNETT
PUBLIC VOTE
RACHEL RICE
REALITY
RYLAN CLARK-NEAL
SAM EVANS
SOPHIE READE
TASKS
TV SHOW

WORDSEARCH

No. 113 Matt Damon

I	G	A	T	E	G	A	R	U	O	T	N	E	E	S
N	N	T	H	E	D	E	P	A	R	T	E	D	N	S
T	I	C	O	N	T	A	G	I	O	N	V	W	R	C
E	T	H	E	R	A	I	N	M	A	K	E	R	U	H
R	N	T	R	F	P	E	R	A	I	B	L	O	O	O
S	U	A	Z	C	S	I	H	N	O	T	E	U	B	O
T	H	G	F	O	P	A	V	U	R	D	S	N	N	L
E	L	F	R	L	R	I	G	U	O	E	N	D	O	T
L	L	V	E	V	C	H	E	G	O	B	A	E	S	I
L	I	Y	A	T	T	G	M	F	J	U	E	R	A	E
A	W	R	U	A	R	A	L	U	A	C	C	S	J	S
R	D	S	Z	I	U	I	V	T	N	Q	O	P	T	L
Z	O	O	T	H	E	M	A	R	T	I	A	N	Y	V
L	O	M	Y	S	T	I	C	P	I	Z	Z	A	X	L
L	G	L	O	R	Y	D	A	Z	E	A	Q	J	A	I

CONTAGION
CUBED
DOGMA
ENTOURAGE
GLORY DAZE
GOOD WILL HUNTING
HARVARD
HOUSE OF LIES
INTERSTELLAR
INVICTUS
JASON BOURNE
MYSTIC PIZZA
OCEAN'S ELEVEN
ROUNDERS
SCHOOL TIES
THE DEPARTED
THE MARTIAN
THE RAINMAKER
TOM RIPLEY
TRUE GRIT
WE BOUGHT A ZOO

No. 114 Tulips

V S E R A N I R E L L A B C V
D E N N E E U Q D N A L L O H
P O I H C C O N I P U I A N T
S R O Y T U A E B E L T T I L
A E C H S S S I D H B T T C E
N I S W G C K I R B L L E E U
O L X S A N A N A O I E I S Q
T I D P I M I X I M Z P R T I
R S E U O K F D B P Z R A I L
E U P N P H Y E I K A I M C E
C F D O L U F D C R R N I K G
N G R E E N L A N D D C I T N
O L Y M P I C F L A M E R H A
C L O O T Q W S T I C S R T C
I T E M P I R E N I H S D E R

ANGELIQUE
BALLERINA
BLIZZARD
BLUE DIAMOND
CAIRO
CANDY KISSES
CHINA PINK
CONCERTO
EMPIRE
ESCAPE
FUSILIER
GREENLAND
HOLLAND QUEEN
ICE STICK
LITTLE BEAUTY
LITTLE PRINCESS
MARIETTA
OLYMPIC FLAME
PINOCCHIO
RED RIDING HOOD
RED SHINE

WORDSEARCH

No. 115 Types Of Yoga

T	H	Z	D	P	K	R	G	J	J	A	E	P	X	U
F	S	P	J	A	U	T	S	H	N	O	P	N	R	E
I	A	R	E	T	H	G	U	A	L	B	C	L	U	X
A	J	A	U	L	U	N	N	B	T	S	N	U	G	S
R	I	N	I	L	A	D	N	U	K	B	R	S	L	E
B	V	A	O	T	A	R	I	T	S	H	A	D	O	W
H	A	Y	Y	T	M	P	G	S	E	A	G	N	N	O
A	M	A	B	A	E	A	I	E	B	V	N	G	D	R
K	U	M	N	Y	E	K	E	R	T	A	E	E	G	O
T	K	A	K	I	R	Z	C	R	K	N	Y	C	A	H
I	T	R	L	R	P	A	R	O	D	A	I	F	A	F
I	I	K	A	K	J	U	Y	F	R	R	H	V	Q	N
P	U	I	S	V	F	V	B	O	V	P	V	T	N	L
I	A	B	R	I	W	Z	V	G	R	W	M	A	A	N
O	R	U	P	A	H	Q	H	M	D	N	O	G	U	H

ANANDA
BANDO
BHAKTI
BIKRAM
DAHN
DREAM
FORREST

HATHA
INTEGRAL
IYENGAR
JIVAMUKTI
KRIPALU
KRIYA
KUM NYE

KUNDALINI
LAUGHTER
NAAM
PRANAVA
PRANAYAMA
ROCKET
SHADOW

No. 116 'C' Inventions

C T K J V L O C H I M N E Y S
C L W A S N I A H C A R S L J
L R O W C E L L O P H A N E I
O R U C A T S C A N R N V C R
N R K I K P O U U L C N J E C
I S I J S N E L T C A T N O C
N E T F C E Q A P L C E R R O
G U R R A Z C T F L P D E I R
S C E U T J A O A O I D S Y K
Y T T K S D S R N T I I E T S
E I U R E E I A E T P M A L C
V N P R Y N C W C M R H I S R
G X M R E G N A H T A O C U E
G F O T S W R Y D L F C L A W
L I C U J D H C R R O O E O O

CALCULATOR
CAMERA
CAN OPENER
CARS
CAT SCAN
CAT'S EYES
CELLOPHANE
CHAINSAW
CHIMNEY
CLAMP
CLARINET
CLOCK
CLONING
COAT HANGER
COMPUTER
CONCRETE
CONTACT LENS
CORDITE
CORKSCREW
CREDIT CARD
CRUISE CONTROL

No. 117 English Civil War

L	J	C	O	N	F	L	I	C	T	U	K	A	C	H
O	O	T	H	E	E	N	G	A	G	E	R	S	E	Z
L	H	N	L	A	R	L	N	S	E	C	O	N	D	R
I	N	W	G	L	R	O	I	O	E	Y	Y	Y	U	A
V	P	X	P	P	I	L	U	O	S	Q	F	W	N	J
E	Y	Z	K	Y	A	H	E	N	X	A	O	S	R	R
R	M	L	U	V	Y	R	P	S	D	D	E	P	E	O
C	E	F	I	R	S	T	L	M	I	H	G	R	S	Y
R	U	M	P	P	A	R	L	I	A	M	E	N	T	A
O	A	S	R	E	I	L	A	V	A	C	I	A	W	L
M	B	G	S	E	O	R	B	V	X	M	S	B	D	I
W	Y	M	R	A	L	E	D	O	M	W	E	N	T	S
E	I	I	T	R	E	B	E	L	L	I	O	N	Z	T
L	R	Y	C	G	O	V	E	R	N	M	E	N	T	S
L	L	I	H	E	G	D	E	X	A	F	R	I	A	F

CAMP HILL
CAVALIERS
CHARLES I
CONFLICT
EDGEHILL
FAIRFAX
FIRST
GOVERNMENT
JOHN PYM
LONG PARLIAMENT
NEW MODEL ARMY
OLIVER CROMWELL
REBELLION
ROUNDHEADS
ROYALISTS
RUMP PARLIAMENT
SECOND
SIEGE OF YORK
THE ENGAGERS
TREASON
UNREST

No. 118 Alice In Wonderland

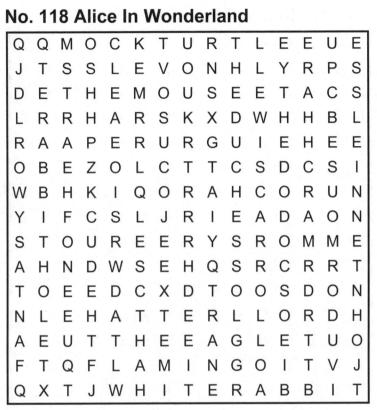

Q	Q	M	O	C	K	T	U	R	T	L	E	E	U	E
J	T	S	S	L	E	V	O	N	H	L	Y	R	P	S
D	E	T	H	E	M	O	U	S	E	E	T	A	C	S
L	R	R	H	A	R	S	K	X	D	W	H	H	B	L
R	A	A	P	E	R	U	R	G	U	I	E	H	E	E
O	B	E	Z	O	L	C	T	T	C	S	D	C	S	I
W	B	H	K	I	Q	O	R	A	H	C	O	R	U	N
Y	I	F	C	S	L	J	R	I	E	A	D	A	O	N
S	T	O	U	R	E	E	R	Y	S	R	O	M	M	E
A	H	N	D	W	S	E	H	Q	S	R	C	R	R	T
T	O	E	E	D	C	X	D	T	O	O	S	D	O	N
N	L	E	H	A	T	T	E	R	L	L	O	R	D	H
A	E	U	T	T	H	E	E	A	G	L	E	T	U	O
F	T	Q	F	L	A	M	I	N	G	O	I	T	V	J
Q	X	T	J	W	H	I	T	E	R	A	B	B	I	T

BILL THE LIZARD
CHESHIRE CAT
DORMOUSE
FANTASY WORLD
FLAMINGO
HATTER
JOHN TENNIEL
LEWIS CARROLL
MARCH HARE
MOCK TURTLE
NOVEL
ODD CREATURES
QUEEN OF HEARTS
RABBIT HOLE
THE DODO
THE DUCHESS
THE DUCK
THE EAGLET
THE LORY
THE MOUSE
WHITE RABBIT

WORDSEARCH

No. 119 Human Resources

R	E	G	C	H	R	P	E	R	S	O	N	N	E	L
B	B	M	R	E	N	I	T	C	U	D	N	O	C	T
E	E	E	P	O	M	O	T	I	V	A	T	I	O	N
N	G	M	N	O	U	P	I	L	F	R	G	T	A	E
E	L	N	P	C	W	P	L	T	R	R	Q	I	C	M
F	T	V	I	S	H	E	D	O	A	A	V	R	H	P
I	A	A	J	N	E	M	R	Y	Y	U	E	T	I	O
T	P	I	P	Y	I	V	A	M	N	E	L	T	N	L
S	P	C	H	P	Z	A	I	R	E	A	E	A	G	E
G	R	I	N	E	W	M	R	T	K	N	M	S	V	V
N	A	W	E	I	V	R	E	T	N	I	T	I	X	E
I	I	R	E	C	R	U	I	T	M	E	N	T	C	D
T	S	E	C	N	A	I	L	P	M	O	C	G	A	S
A	A	Q	R	I	N	D	U	C	T	I	O	N	R	Q
R	L	S	T	C	A	R	T	N	O	C	I	I	I	U

APPRAISAL
ATTRITION
BENCHMARKING
BENEFITS
COACHING
COMPLIANCE
CONDUCT
CONTRACTS
DEVELOPMENT
EMPLOYEES
EMPOWERMENT
EVALUATION
EXIT INTERVIEW
GROUP DYNAMICS
INCENTIVES
INDUCTION
MOTIVATION
PERSONNEL
RATINGS
RECRUITMENT
TRAINING

No. 120 Beans And Pulses

A	N	E	K	R	T	P	T	P	S	H	W	V	W	T
R	L	V	U	C	R	I	B	R	O	A	D	M	M	R
Q	D	P	I	H	R	A	T	B	Y	R	A	N	R	T
E	V	Y	L	I	O	V	B	A	A	I	D	P	U	V
E	S	R	U	C	H	A	F	U	D	C	A	H	T	A
W	A	T	O	K	S	F	I	T	T	O	L	R	O	B
P	S	C	F	P	A	P	E	E	T	T	R	M	B	F
K	I	D	N	E	Y	P	L	A	F	G	E	O	S	L
E	V	U	L	A	I	O	D	I	O	R	O	R	A	F
E	L	I	T	N	E	L	S	E	T	I	E	I	L	V
J	Q	P	T	G	P	P	G	P	P	P	A	N	Q	U
N	A	O	A	W	Z	R	W	N	Y	U	E	G	C	N
I	U	L	I	A	E	J	W	O	U	S	O	A	L	H
O	F	L	R	E	D	B	E	A	N	M	R	U	T	I
U	F	I	N	R	R	X	V	Q	R	S	U	T	I	O

BORLOTTI
BROAD
BUTTER
CHICKPEA
COCOA
DAL
FAVA
FIELD
FLAGEOLET
FRENCH
GREEN
HARICOT
KIDNEY
LENTIL
MORINGA
MUNG
PINTO
RED BEAN
SNOW PEA
SOYA
SPLIT PEA

No. 121 Go...

K S H C Z D M U P A F C V S Z
A O P S H T A L A M Z I A S U
A T B N F O R T H K S L E E V
U F T G U S M X U E L B D U T
W D T P X R A E F O L U I R N
R O A E T H R O U G H P S T C
O W U E R K R T V G R T N R A
N N E L H B C I S N P S I R S
G W B S R A T A R O U N D W M
K L O O T W P Z B L N I S I H
U G K T I U E M P A D A S T W
J E Y F O R W A R D E G N A N
X Y P I U T E E P O R A O J P
Q N Q J V I O O G I F V Y P O
M S H Y C V R A I L V Z I T U

AFTER
AGAINST
AHEAD
ALL OUT
ALONG
AROUND
BACK
DOWN
FOR BROKE
FORTH
FORWARD
HOME
INSIDE
PUBLIC
THROUGH
TO SLEEP
TO TOWN
UNDER
WEST
WITHOUT
WRONG

WORDSEARCH

No. 122 Words That Rhyme With 'Store'

A	V	I	V	T	J	R	E	P	U	Z	N	P	B	G
D	M	L	E	A	Q	R	Q	O	A	S	S	U	M	C
I	X	K	O	L	T	R	L	U	O	D	P	I	S	D
J	Y	M	I	M	P	L	O	R	E	R	O	C	S	L
V	M	Q	C	A	Z	T	E	E	E	S	R	R	N	U
G	X	J	F	K	L	E	Z	W	R	N	E	A	E	T
I	L	A	U	Y	I	K	R	A	O	O	B	O	A	R
R	U	E	T	V	J	A	V	R	W	R	N	R	V	J
S	N	Q	P	F	G	S	V	D	S	E	O	G	F	X
U	Z	S	R	B	D	G	L	O	J	F	E	O	I	B
K	O	V	R	V	O	O	A	S	D	R	R	H	L	L
D	J	E	M	O	O	R	B	A	P	E	O	U	M	F
A	C	H	O	A	R	E	E	P	O	L	M	C	O	K
E	Q	N	A	P	R	I	P	D	E	E	C	Q	L	F
R	D	F	R	R	T	W	S	R	G	A	T	I	O	L

ADORE
BOAR
BORE
DOOR
DRAWER
FLOOR
FORE

FOUR
GORE
HOAR
IGNORE
IMPLORE
MORE
POUR

ROAR
SCORE
SNORE
SOAR
SORE
SPORE
SWORE

WORDSEARCH

No. 123 Around Alabama

E	Q	A	T	M	O	U	L	T	O	N	B	S	T	R
C	L	H	N	T	A	L	L	A	D	E	G	A	B	I
A	L	L	U	A	A	H	O	P	E	L	I	K	A	I
M	C	A	I	N	I	V	G	W	L	W	K	S	N	V
D	D	S	N	V	T	B	Z	N	L	I	H	O	O	V
E	M	O	E	T	E	S	M	T	I	D	S	E	T	R
N	A	O	A	D	O	R	V	U	V	M	Q	L	W	O
O	Y	L	N	T	N	N	T	I	L	M	R	L	E	C
R	L	A	N	T	H	A	J	N	L	O	S	I	R	K
K	X	C	I	H	G	E	L	F	E	L	C	V	B	F
A	H	S	S	O	O	O	N	H	S	C	E	H	Q	O
E	G	U	T	O	B	J	M	S	S	S	M	S	L	R
A	T	T	O	V	F	I	D	E	U	A	S	A	N	D
E	Q	O	N	E	O	N	T	A	R	E	A	P	T	R
M	H	P	E	R	V	L	M	R	Z	Y	R	R	R	A

AKRON
ANNISTON
ASHLAND
ASHVILLE
ATHENS
BIRMINGHAM
BREWTON
CAMDEN
CENTREVILLE
CLANTON
COLUMBIANA
HOOVER
HUNTSVILLE
MONTGOMERY
MOULTON
ONEONTA
OPELIKA
ROCKFORD
RUSSELLVILLE
TALLADEGA
TUSCALOOSA

No. 124 Autumn

S E L P P A X N W L I Q L M A
V I P F R A C S I M P T T P U
T E A F V U P O E K A R R Q R
G S E N S I X L R U P P R D S
R R E B O T C O V N E M L S S
Z E E V E E P U N P S L U E A
T T B T R Z T U N I Q R O P S
I E R M A A K N R A U G P T T
S R R N E E H Z I A I Q C E U
A U V S B V W W F A R J E M N
S U Y J V U O S E I R R E B T
I Y F A L L I N G L E A V E S
U V O S L E C H I L L Y G R E
Z Z R E O R A N G E S M A R H
S H Y S T Y M A S R U O L O C

ACORNS
APPLES
BERRIES
CHESTNUTS
CHILLY
COLOURS
EQUINOX
FALLING LEAVES
HARVEST
HAY
NOVEMBER
OCTOBER
ORANGES
PUMPKIN
RAIN
RAKE
SCARF
SEPTEMBER
SQUIRRELS
SWEATER
YELLOW

No. 125 The Circus

K	H	H	S	L	F	I	R	E	E	A	T	E	R	M
W	R	P	J	I	T	I	G	H	T	R	O	P	E	M
L	E	S	U	O	R	A	C	B	Q	A	D	R	W	G
X	T	T	G	L	E	C	C	I	T	U	R	S	O	A
R	A	U	G	Q	E	L	A	G	T	Y	F	E	L	M
A	B	N	L	K	O	Z	Y	T	G	Y	L	M	L	E
G	O	T	I	W	N	M	E	O	S	E	E	U	A	S
P	R	S	N	R	N	E	R	P	P	P	Z	T	W	T
I	C	S	G	A	E	O	P	H	A	O	Q	S	S	L
Y	A	U	S	P	U	L	A	U	Q	R	S	O	D	I
R	A	T	A	N	B	N	L	A	O	P	T	C	R	T
I	R	N	D	K	T	L	U	A	S	R	E	M	O	S
R	I	N	G	S	R	P	L	C	B	T	T	B	W	U
T	S	K	C	S	P	E	C	T	A	T	O	R	S	S
V	U	R	X	S	S	J	C	R	Q	W	S	W	E	J

ACROBAT
BALLERINA
BIG TOP
CAROUSEL
CLOWNS
COSTUMES
ELEPHANTS
FIRE-EATER
GAMES
GYMNAST
JUGGLING
MERRY-GO-ROUND
RINGS
SOMERSAULT
SPECTATORS
STILTS
STUNTS
SWORD SWALLOWER
TIGHTROPE
TRAPEZE
TROUPE

WORDSEARCH

No. 126 Jobs

R	A	D	L	D	S	L	E	T	W	U	M	S	L	Z
T	O	A	D	E	S	I	G	N	E	R	I	L	J	H
S	A	T	I	P	W	B	R	O	Y	E	V	R	U	S
A	R	E	C	T	I	R	E	E	A	R	P	W	D	U
S	C	A	V	O	S	A	K	O	T	E	S	U	G	R
T	H	C	T	I	D	R	R	T	Y	R	S	P	E	G
R	I	H	O	M	R	I	O	C	E	W	O	R	H	E
O	T	E	L	U	H	A	W	Z	H	S	N	P	U	O
N	E	R	I	S	N	N	D	A	T	I	I	A	E	N
A	C	Q	P	I	V	T	I	M	T	F	V	W	X	R
U	T	A	R	C	A	C	A	A	L	H	R	I	N	R
T	C	S	H	I	L	N	U	N	E	I	E	L	S	S
I	F	E	P	A	N	I	M	A	T	O	R	G	T	T
T	F	S	O	N	R	V	T	E	C	S	H	R	A	X
A	N	O	D	L	O	N	R	E	T	I	A	W	A	E

ACCOUNTANT
AID WORKER
ANIMATOR
ARCHITECT
ARCHIVIST
ASTRONAUT
CHEF

DESIGNER
DOCTOR
JUDGE
LIBRARIAN
MUSICIAN
NURSE
PILOT

POSTMAN
REPORTER
SURGEON
SURVEYOR
TEACHER
WAITER
WRITER

No. 127 Metals

Q	C	X	E	J	T	W	S	W	X	U	M	S	P	T
P	O	T	Z	N	S	I	E	S	U	I	V	C	L	S
E	B	M	P	L	S	A	U	F	R	F	A	C	O	A
U	A	T	U	I	I	K	A	C	M	R	I	M	E	W
S	L	R	S	I	R	T	G	A	E	G	T	P	C	L
T	T	M	U	I	R	O	H	T	R	R	L	D	O	T
D	T	R	L	U	L	T	N	I	C	K	E	L	P	V
S	T	R	O	D	T	V	T	A	U	I	S	P	P	S
O	Q	A	V	N	T	I	E	Y	R	M	A	C	E	I
T	U	N	G	S	T	E	N	R	Y	Z	B	U	R	S
O	S	A	Z	A	N	I	U	G	A	L	L	I	U	M
O	E	U	N	I	Z	A	U	H	T	P	D	O	R	X
M	U	I	S	E	N	G	A	M	U	I	D	O	H	R
M	U	I	D	N	A	C	S	D	U	K	T	H	L	P
M	U	I	D	A	N	A	V	M	S	Z	A	L	Y	T

COBALT
COPPER
GALLIUM
GOLD
IRIDIUM
IRON
LITHIUM
MAGNESIUM
MERCURY
NICKEL
RHODIUM
SCANDIUM
SILVER
STRONTIUM
THORIUM
TIN
TITANIUM
TUNGSTEN
VANADIUM
YTTRIUM
ZINC

No. 128 UK Islands

```
B C A P T N U E H S T G K U T
A L A L I N D I S F A R N E B
R E E Y C S T G N I L Y A H I
R R S H E T L A N D X O N Y S
O I R T Q S A E D P V S G A P
W S E N R T L R O C K A L L A
Y K M A A O A I A F E R E S A
T A H W R P P O P L S N S I S
U Y R K O Q P N J R U K E C A
A S N T T M F A L D O N Y J T
T E A A S T X U V E M R D E I
Y B R O O E L S R V T L R Y L
U Z R R V S W E R Z S D V O E
O J A R U J M Q U S E G H Y S
S L O T Q L F J P V W Y A W C
```

ANGLESEY
ARRAN
BARROW
ERISKAY
FURZEY
HAYLING
IONA
ISLAY
ISLE OF SKYE
JURA
LINDISFARNE
LUNDY
MERSEA
ORKNEY
PILSEY
PORTSEA
ROCKALL
SEGHY
SHETLAND
WEST MOUSE
WESTRAY

No. 129 Growing Up

R	U	G	G	M	R	F	Z	K	U	R	M	F	J	O
E	G	N	I	R	U	T	A	M	S	E	R	O	H	C
L	S	I	D	H	A	J	O	Z	B	I	L	L	S	H
L	M	V	E	O	F	D	P	U	E	K	A	M	P	O
O	O	I	N	R	R	O	E	N	X	F	P	A	M	M
G	O	R	T	M	U	Z	D	S	I	T	R	O	B	E
O	D	D	I	O	I	S	F	R	X	T	V	S	X	W
R	S	A	T	N	L	M	S	A	I	I	O	P	W	O
H	W	T	Y	E	N	T	A	E	N	F	E	O	D	R
O	I	I	T	S	J	T	S	G	R	R	C	T	X	K
U	N	N	J	O	Z	N	O	G	I	P	U	S	L	G
F	G	G	B	X	F	U	O	E	T	U	R	F	Q	R
S	S	N	O	I	T	A	N	I	M	A	X	E	V	S
U	S	R	A	T	Z	C	T	E	E	N	A	G	E	R
N	A	P	P	R	E	N	T	I	C	E	S	H	I	P

APPRENTICESHIP
BILLS
CHORES
DATING
DRIVING
EXAMINATIONS
EXPERIENCE
FIRST JOB
FRIENDS
GRADES
HOMEWORK
HORMONES
IDENTITY
MAKE-UP
MATURING
MOOD SWINGS
MOVING OUT
PARTIES
PEER PRESSURE
SPOTS
TEENAGER

No. 130 Football

C	F	E	U	G	R	S	L	B	E	C	I	L	F	M
I	O	P	R	E	N	R	O	C	A	P	T	A	I	N
O	R	U	E	G	N	I	L	B	B	I	R	D	A	P
W	W	C	A	Q	E	E	D	I	S	F	F	O	B	R
R	A	D	O	D	U	M	M	Y	Z	I	A	I	A	T
V	R	L	Q	A	X	A	K	I	E	X	C	E	D	V
T	D	R	A	C	W	O	L	L	E	Y	V	Z	O	L
T	R	O	R	Y	S	Y	D	I	C	Y	R	F	R	L
R	A	W	Y	N	S	E	T	L	S	Z	A	E	E	A
Z	C	J	R	T	R	R	E	D	N	E	F	E	D	S
S	D	G	O	A	L	K	E	E	P	E	R	H	G	S
O	E	I	H	Z	I	A	Y	Y	R	I	G	R	D	I
P	R	C	V	C	T	C	N	E	A	L	T	P	C	S
B	R	S	K	E	T	P	E	E	E	L	K	C	A	T
P	E	P	F	P	Y	R	T	B	P	S	P	S	H	S

ASSIST
BICYCLE KICK
CAPTAIN
CORNER
DEFENDER
DIVE
DRIBBLING

DUMMY
EQUALISER
FORWARD
GOALKEEPER
MIDFIELDER
OFFSIDE
PENALTY

PITCH
PLAYERS
RED CARD
REFEREE
TACKLE
WORLD CUP
YELLOW CARD

WORDSEARCH

No. 131 Sweets

V	A	G	C	O	F	F	W	G	Y	C	U	F	V	Y
U	S	O	F	R	U	I	T	D	R	O	P	S	X	W
M	M	B	B	A	S	Z	E	S	M	L	A	X	A	E
U	U	S	U	N	T	Z	B	R	I	A	R	L	V	B
G	G	T	T	G	I	I	R	U	N	B	T	E	G	A
E	G	O	T	E	L	E	E	O	T	O	R	M	G	R
L	N	P	E	S	P	S	H	S	F	T	L	O	O	L
B	I	P	R	L	S	K	S	F	O	T	L	N	U	E
B	W	E	M	I	A	M	E	N	N	L	O	S	L	Y
U	E	R	I	C	N	E	M	Y	D	E	L	L	E	S
B	H	S	N	E	A	I	X	P	A	S	L	I	M	U
K	C	I	T	S	N	O	M	A	N	N	I	C	A	G
D	I	L	S	T	A	Z	C	S	T	B	E	E	R	A
T	S	J	S	W	B	U	N	R	S	K	S	S	A	R
H	U	M	B	U	G	S	N	O	B	N	O	B	C	C

BANANA SPLITS
BARLEY SUGAR
BONBONS
BUBBLEGUM
BUTTER MINTS
CARAMEL
CHEWING GUM
CINNAMON STICK
COLA BOTTLES
EVERTON MINTS
FIZZIES
FRUIT DROPS
GOBSTOPPERS
HUMBUGS
LEMON SLICES
LOLLIES
MINT FONDANTS
ORANGE SLICES
SHERBET
SOURS
TOFFEE

No. 132 Hairstyles

M	M	B	V	I	M	J	U	T	R	C	C	M	L	A
B	D	U	T	M	T	U	C	R	E	D	N	U	F	S
U	R	R	L	X	R	Q	D	I	R	E	V	R	T	E
Z	O	N	E	L	E	T	O	N	C	R	O	P	N	H
Z	B	P	O	A	E	V	I	H	E	E	B	C	A	C
C	R	I	O	N	D	T	A	S	I	H	F	J	F	N
U	A	L	S	N	G	L	L	W	A	T	F	X	F	U
T	I	E	P	R	Y	I	O	D	R	A	O	A	U	B
G	D	T	S	I	W	T	H	C	N	E	R	F	O	Z
R	S	U	H	A	G	T	A	C	K	F	G	W	B	Z
T	U	C	W	E	R	C	I	I	L	S	L	N	Z	U
R	V	B	U	N	W	C	F	I	L	C	D	C	I	A
K	M	O	H	A	W	K	U	S	U	D	Q	A	E	F
M	P	B	A	N	G	S	T	T	F	G	I	R	X	R
W	T	R	A	R	Q	L	O	R	S	J	U	P	C	C

AFRO
BANGS
BEEHIVE
BOB CUT
BOUFFANT
BOWL CUT
BRAIDS
BUNCHES
BUZZ CUT
CAESAR CUT
CHIGNON
CREW CUT
DREADLOCKS
ETON CROP
FEATHERED
FINGER WAVE
FRENCH TWIST
MOHAWK
MULLET
PONYTAIL
UNDERCUT

WORDSEARCH

No. 133 Clint Eastwood

T	E	N	A	E	F	I	R	E	F	O	X	L	S	Y
J	V	G	O	U	G	N	I	L	E	G	N	A	H	C
R	R	E	D	I	R	E	L	A	P	G	N	M	R	O
A	R	E	C	U	D	O	R	P	R	F	A	E	R	K
W	I	Y	V	R	H	P	M	S	R	P	I	R	O	E
H	U	C	R	I	C	A	D	A	T	J	O	I	T	R
I	N	N	A	R	R	D	N	I	Y	W	T	C	C	E
D	F	G	T	L	A	C	G	G	D	O	P	A	E	T
E	O	O	A	Q	I	H	I	Y	E	R	R	N	R	F
L	R	B	K	S	T	F	Y	T	O	M	T	S	I	A
I	G	R	C	R	U	A	O	T	S	S	H	N	D	E
O	I	O	O	R	T	L	C	R	R	Y	J	I	P	R
L	V	P	T	E	N	A	L	M	N	I	M	P	G	E
J	E	R	S	E	Y	B	O	Y	S	I	D	E	F	H
N	N	A	Q	O	N	I	R	O	T	N	A	R	G	E

ACTOR
AMERICAN SNIPER
CALIFORNIA
CHANGELING
DIRECTOR
DIRTY HARRY
FIREFOX
GRAN TORINO
HANG 'EM HIGH
HEREAFTER
JERSEY BOYS
MAYOR
MYSTIC RIVER
PALE RIDER
PRODUCER
RAWHIDE
ROWDY YATES
SAN FRANCISCO
SULLY
TIGHTROPE
UNFORGIVEN

No. 134 Plants With Medicinal Uses

F	E	E	W	O	R	M	W	O	O	D	U	T	H	X
I	E	I	Z	I	T	S	I	L	A	T	I	G	I	D
Q	Q	N	R	N	I	A	T	N	A	L	P	E	B	D
S	A	S	N	T	S	N	D	L	J	S	M	K	I	B
O	B	E	E	E	M	E	O	A	V	A	B	R	S	O
B	A	E	O	L	L	E	C	V	A	G	A	U	C	T
I	S	G	H	I	T	K	K	G	R	E	G	X	U	E
C	I	T	O	O	F	T	L	E	Y	W	P	N	S	A
Y	L	N	K	R	N	R	E	I	E	O	R	R	T	I
R	C	O	U	T	S	N	A	N	R	R	E	O	K	L
S	A	I	V	K	T	V	V	Y	F	T	G	H	J	I
L	T	U	P	E	P	P	E	R	M	I	N	T	P	L
E	N	O	A	W	S	R	S	A	O	X	I	W	V	R
J	I	S	F	G	A	R	L	I	C	K	G	A	P	X
A	P	R	F	G	Y	A	R	R	O	W	L	H	C	J

ALOE
BASIL
CATNIP
CLOVES
COMFREY
DANDELION
DIGITALIS
DOCK LEAVES
FENNEL
GARLIC
GINGER
GREEN TEA
HAWTHORN
HIBISCUS
JACKFRUIT
NETTLES
PEPPERMINT
PLANTAIN
SAGEWORT
WORMWOOD
YARROW

SOLUTIONS

Solution 1

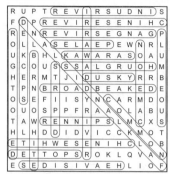

R U P T R E V I R S U D N I S
F D P R E V I R E S E N I H C
R E N R E V I R S E G N A G P
O L L A S E L A E P E W N R L
U K B H L K A W A R A S O A U
G C O U S S S A L G R U O H M
H E R M T J I D U S K Y R R B
T P N B R O A D B E A K E D E
O S E F I I S Y N C A R M D O
O U O S P P F R A A O L A B U
T A W R E N N I P S L M C X S
H L H D D I D V I C C K M O T
E T I H W E S E N I H C L O B
D E T T O P S R O K L Q V A N
E S E D I S I V A E H L I O F

Solution 2

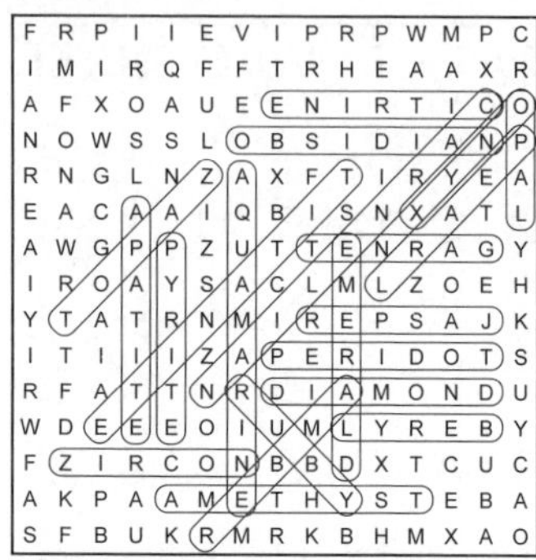
F R P I I E V I P R P W M P C
I M I R Q F F T R H E A A X R
A F X O A U E E N I R T I C O
N O W S S L O B S I D I A N P
R N G L N Z A X F T I R Y E A
E A C A A I Q B I S N X A T L
A W G P P Z U T T E N R A G Y
I R O A Y S A C L M L Z O E H
Y T A T R N M I R E P S A J K
I T I I I Z A P E R I D O T S
R F A T T N R D I A M O N D U
W D E E E O I U M L Y R E B Y
F Z I R C O N B B D X T C U C
A K P A A M E T H Y S T E B A
S F B U K R M R K B H M X A O

Solution 3

R R T O O T H E B U R D E N N
I S K C O L C E H T Y Z A P O
D S A D C Y P R E S S E U M V
P A R T E S U O M E H T O B E
T C E S U O H D E K O O R C L
H H E R C U L E P O I R O T I
I T H E B I G F O U R P R H S
R I A M I S S M A R P L E E T
D U M B W I T N E S S U O H R
G H A L I B I N Y A U Q R O T
I O R E Z S D R A W O T A L C
R E N D L E S S N I G H T L O
L O U P L A Y W R I G H T O D
B L A C K C O F F E E I U W T
K I C R I M E W R I T E R N R

Solution 4

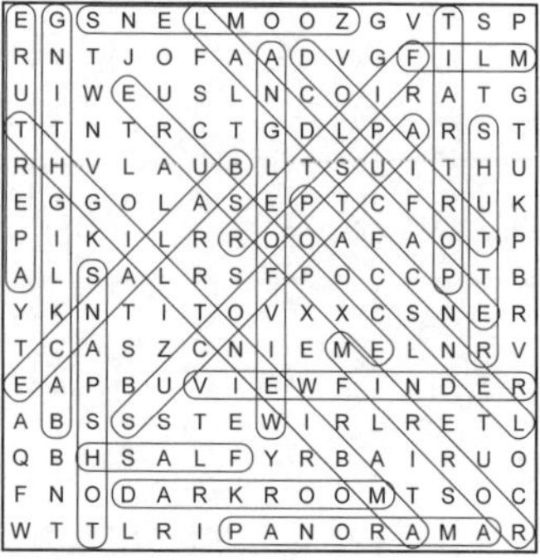
E G S N E L M O O Z G V T S P
R N T J O F A A D V G F I L M
U I W E U S L N C O I R A T G
T T N T R C T G D L P A R S T
R H V L A U B L T S U I T H U
E G G O L A S E P T C F R U K
P I K I L R R O O A F A O T P
A L S A L R S F P O C C P T B
Y K N T I T O V X X C S N E R
T C A S Z C N I E M E L N R V
E A P B U V I E W F I N D E R
A B S S S T E W I R L R E T L
Q B H S A L F Y R B A I R U O
F N O D A R K R O O M T S O C
W T T L R I P A N O R A M A R

Solution 5

T P V E I S T I U R F A S O O
A K H E A L T H C L U B D H I
D O O F H S E R F Q S I T U P
I V S E L B A T E G E V K F W
S T U U I S E U X T A A I F A
C W R T C P R I P E C T J G R
I Y I A L I K L R A T H D E M
P L C M I N A O F S F A I U I
L U O L M N B T U T E Q R N N
I P S Y I I I S T E P P I N G
N N P S C N N N E G U S L C U
E T K S E G G G G R A M J X P
G N I W O R T T K A A E U J S
T N A R I R P H R T O N I N G
D A N C I N G N I G G O J Z Y

Solution 6

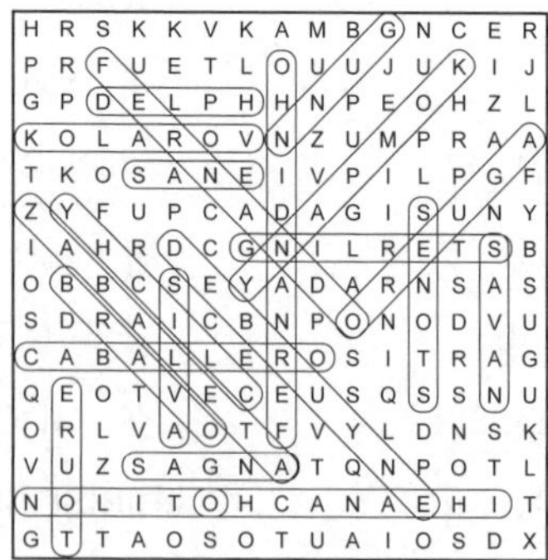
H R S K K V K A M B G N C E R
P R F U E T L O U U J U K I J
G P D E L P H H N P E O H Z L
K O L A R O V N Z U M P R A A
T K O S A N E I V P I L P G F
Z Y F U P C A D A G I S U N Y
I A H R D C G N I L R E T S B
O B B C S E Y A D A R N S A S
S D R A I C B N P O N O D V U
C A B A L L E R O S I T R A G
Q E O T V E C E U S Q S S N U
O R L V A O T F V Y L D N S K
V U Z S A G N A T Q N P O T L
N O L I T O H C A N A E H I T
G T T A O S O T U A I O S D X

SOLUTIONS

Solution 7

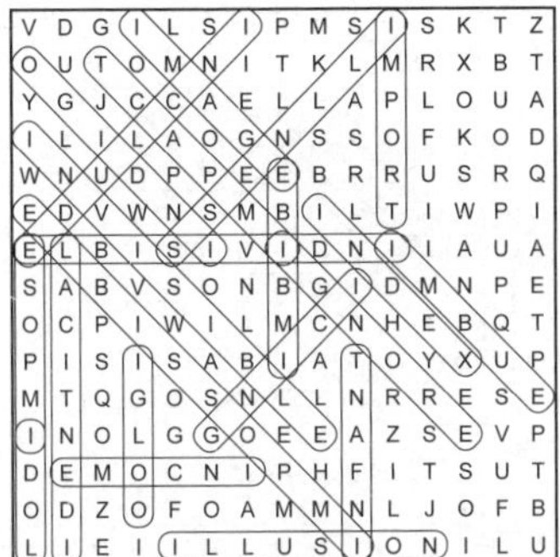

Solution 8

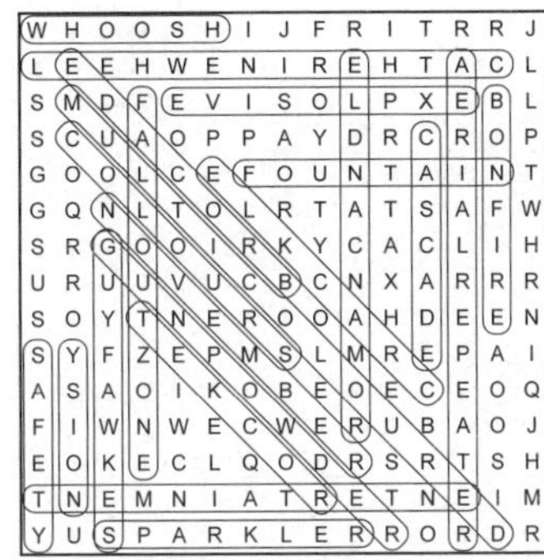

Solution 9

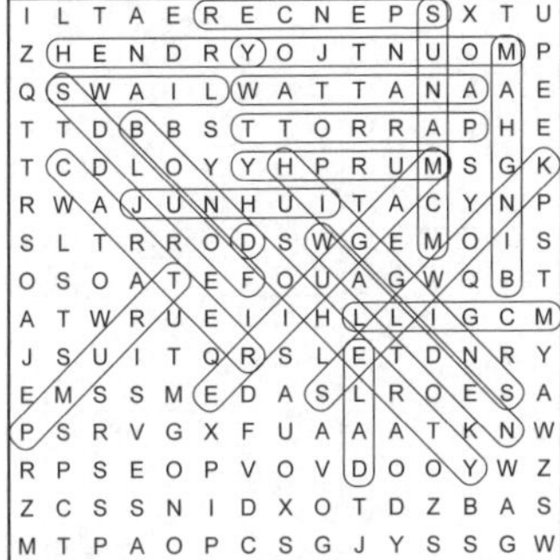

Solution 10

Solution 11

Solution 12

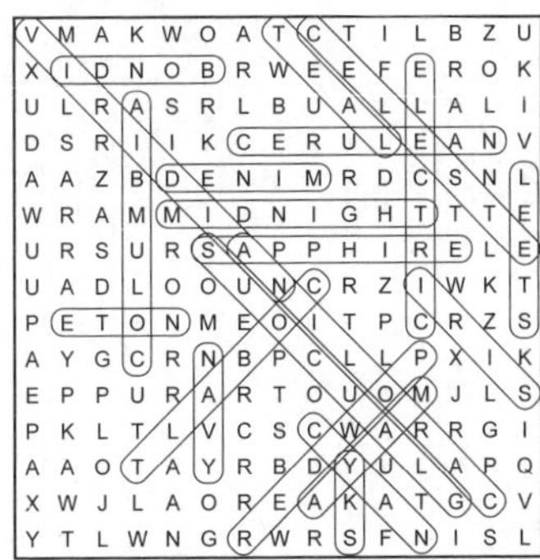

SOLUTIONS

Solution 13

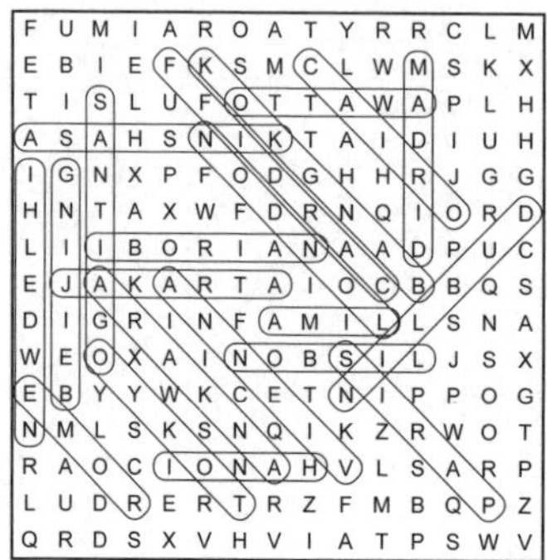

Solution 14

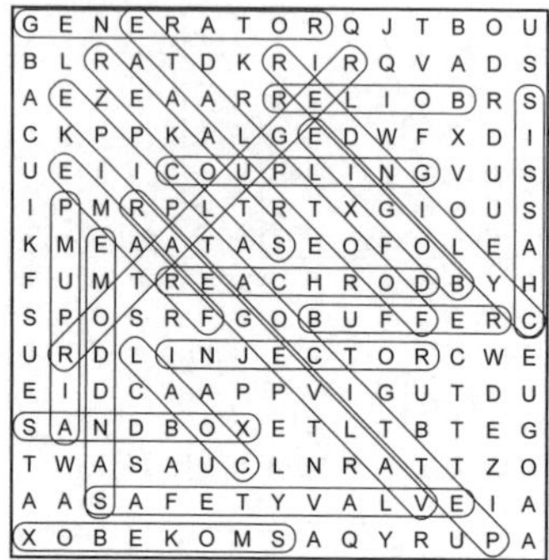

Solution 15

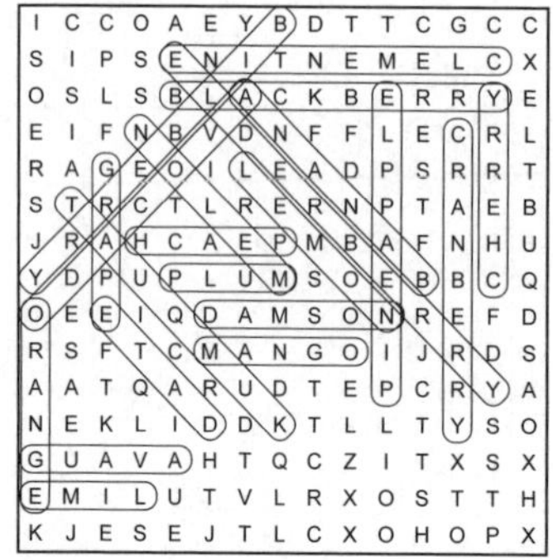

Solution 16

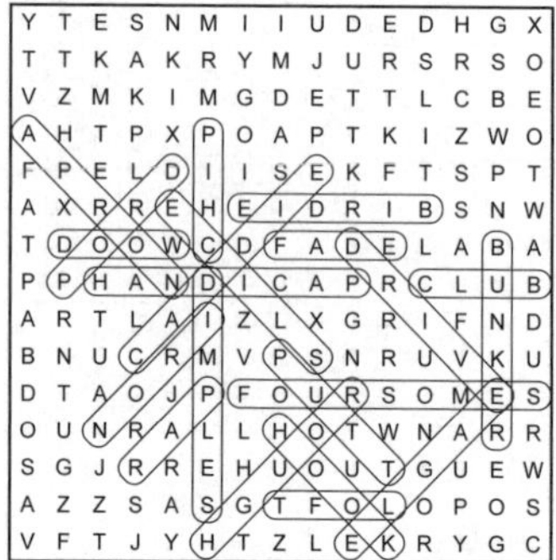

Solution 17

Solution 18

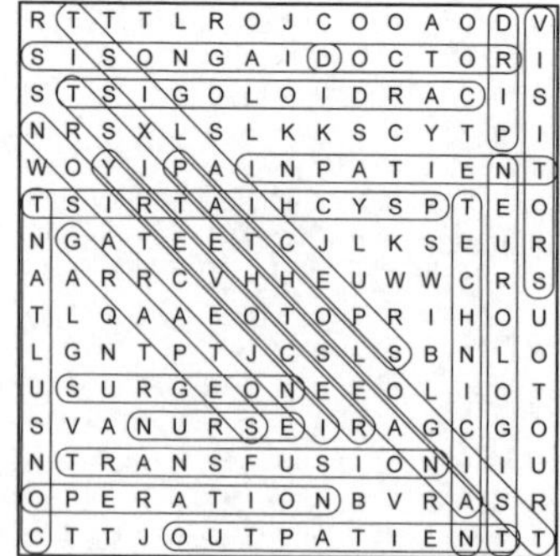

SOLUTIONS

WORDSEARCH

Solution 19

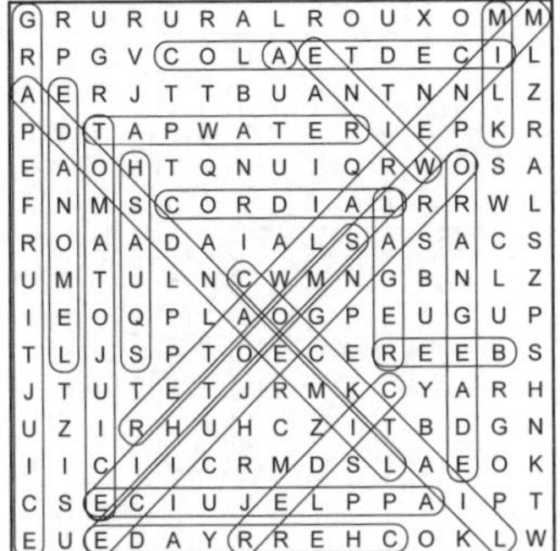

Solution 20

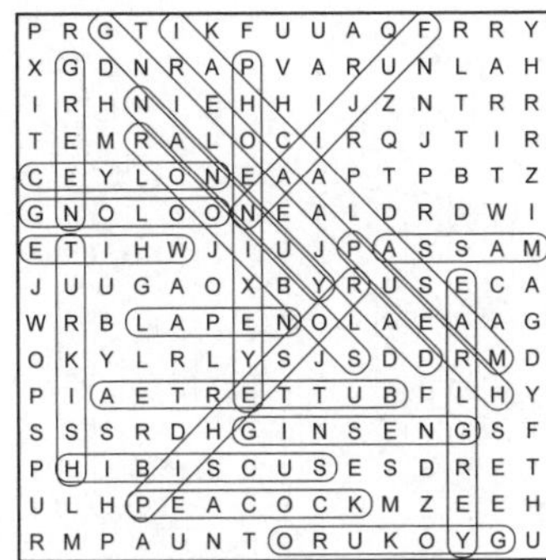

Solution 21

Solution 22

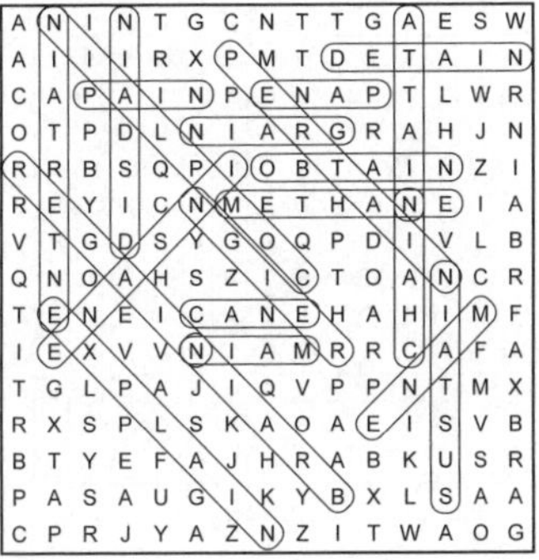

Solution 23

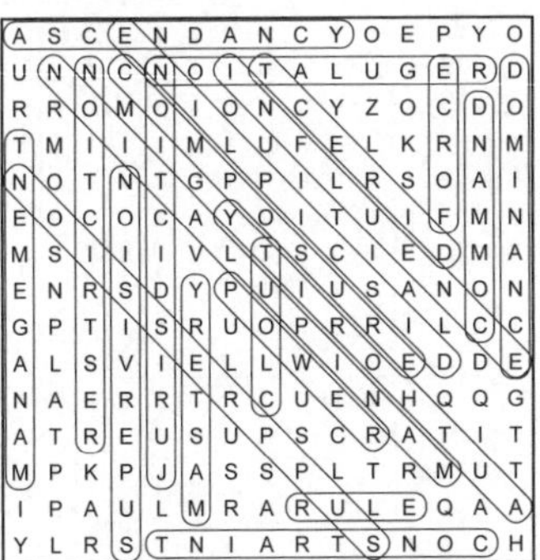

Solution 24

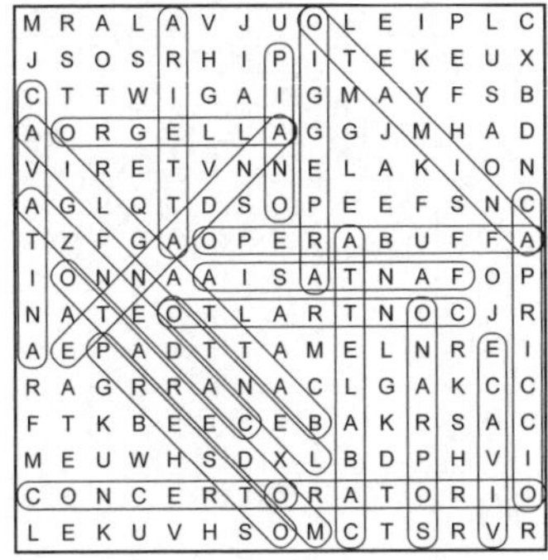

SOLUTIONS

Solution 25

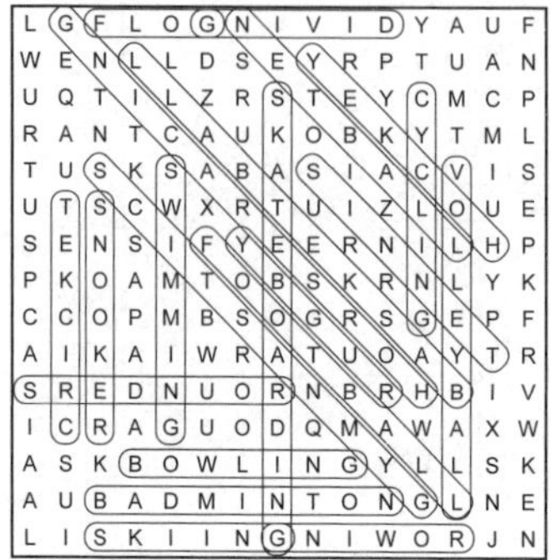

Solution 26

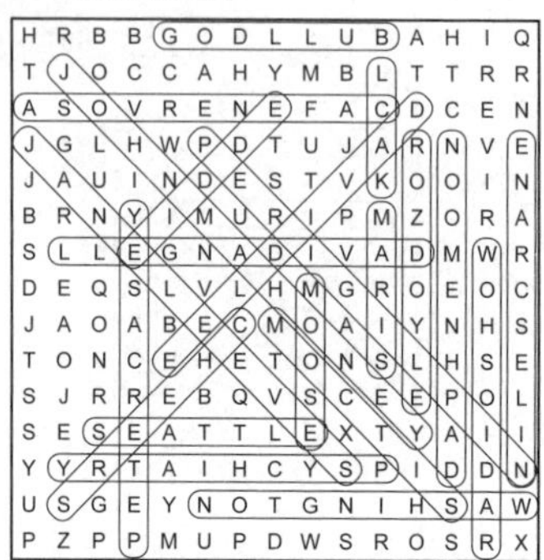

Solution 27

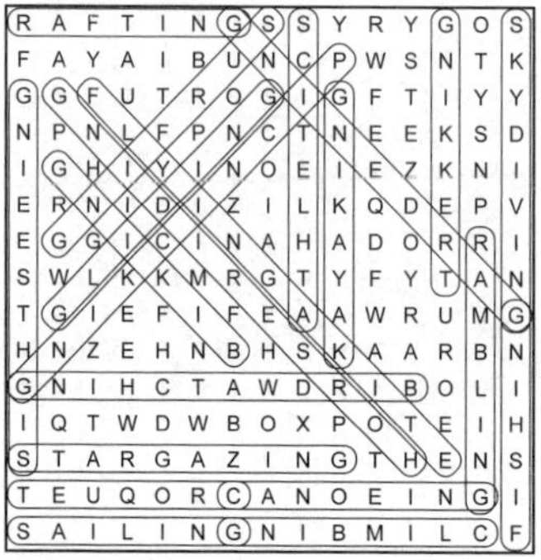

Solution 28

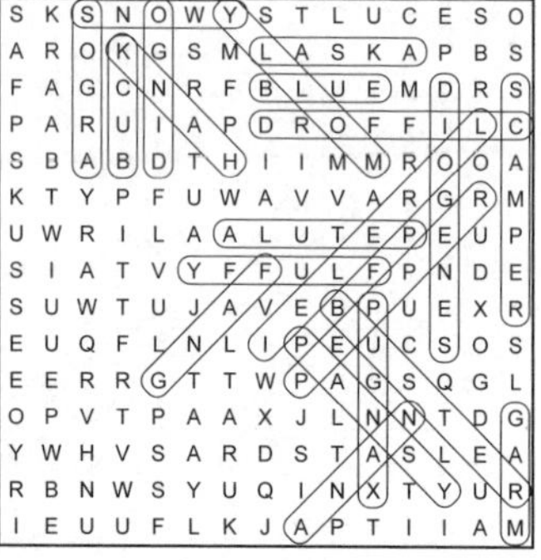

Solution 29

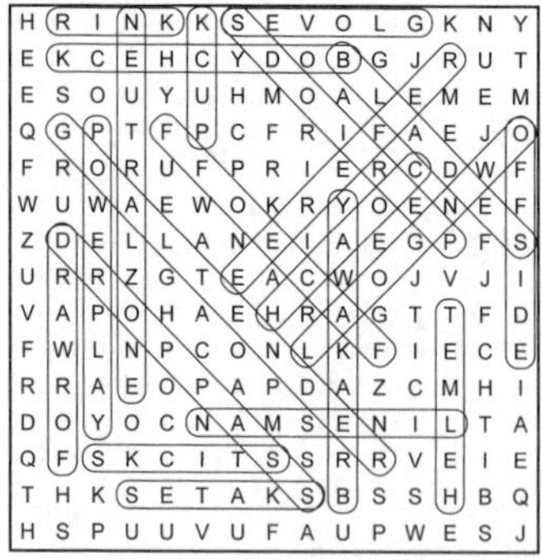

Solution 30

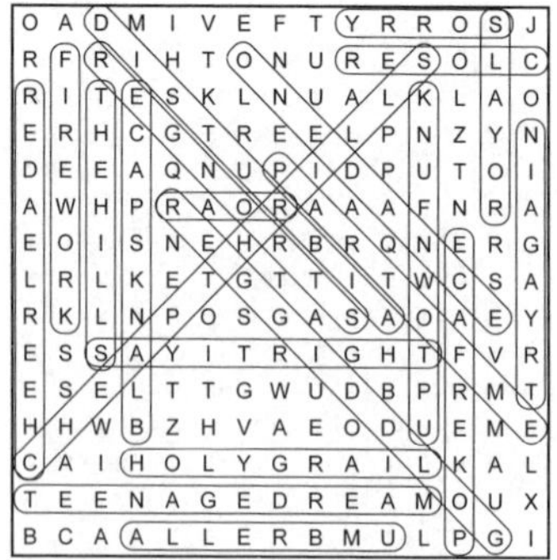

SOLUTIONS

WORDSEARCH

Solution 31

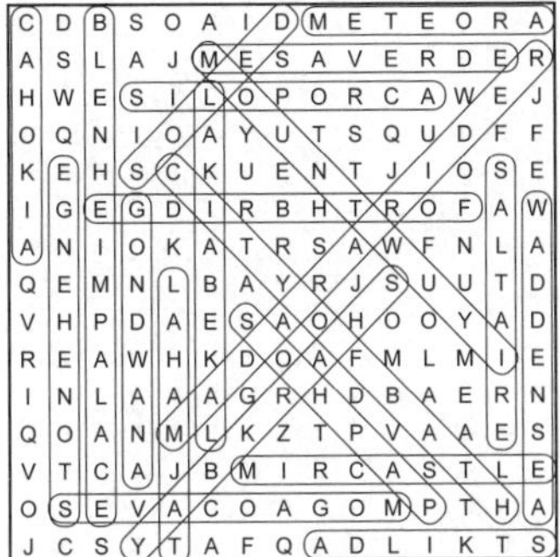

Solution 32

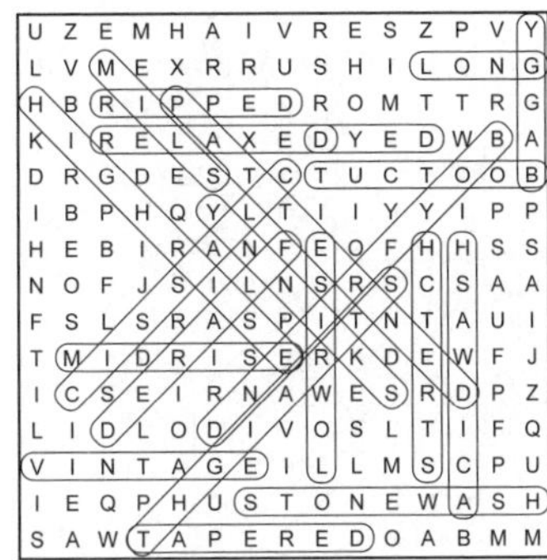

Solution 33

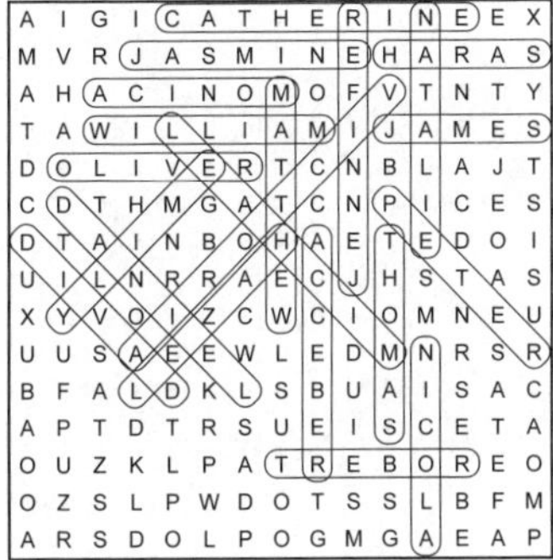

Solution 34

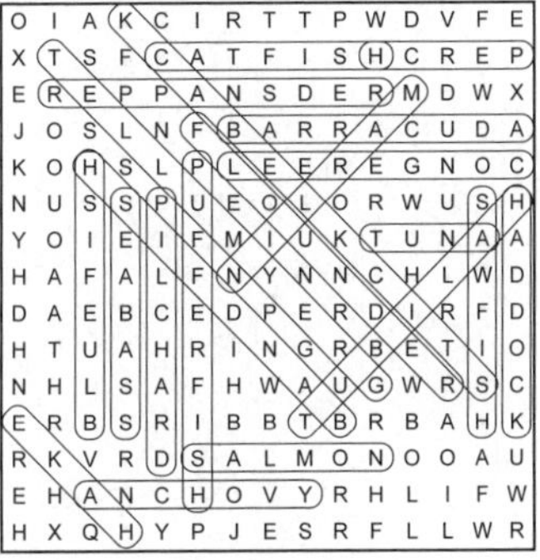

Solution 35

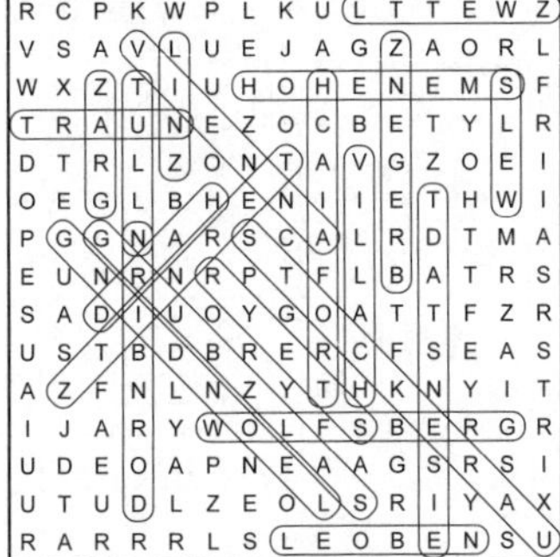

Solution 36

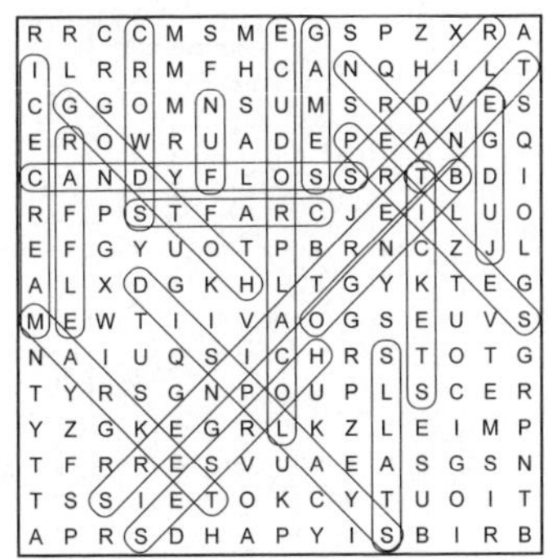

SOLUTIONS

Solution 37

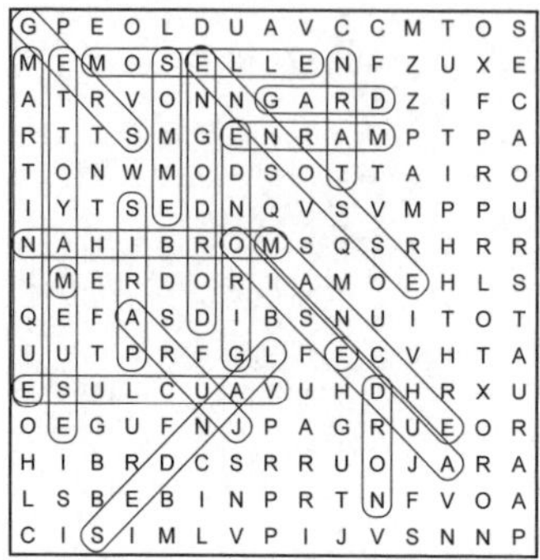

Solution 38

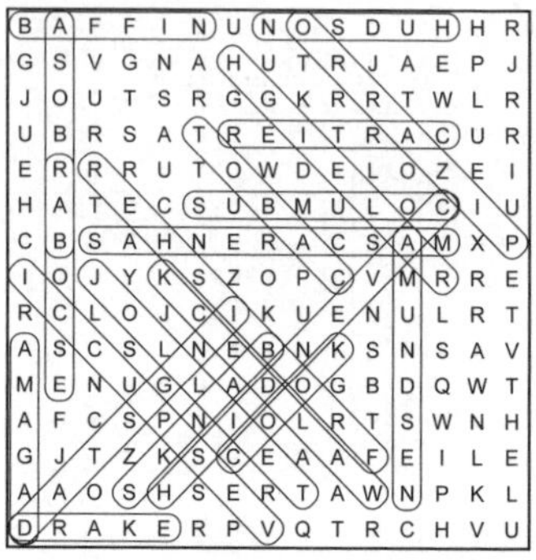

Solution 39

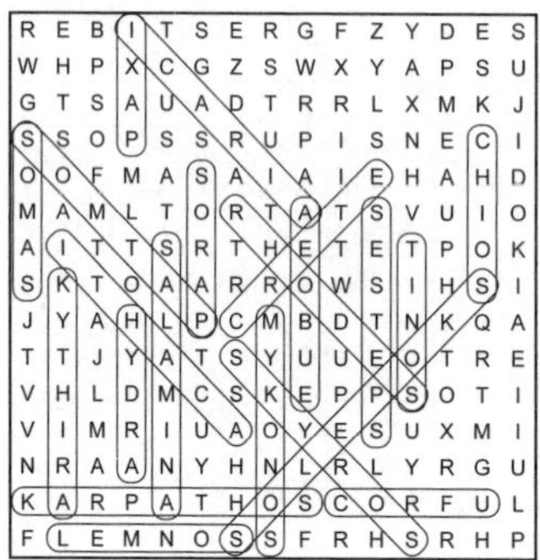

Solution 40

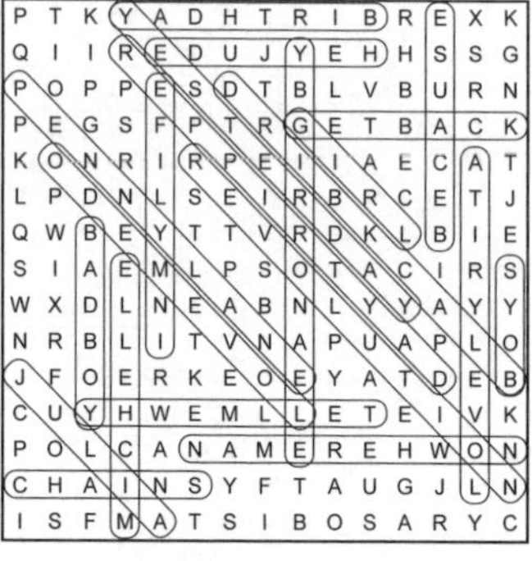

Solution 41

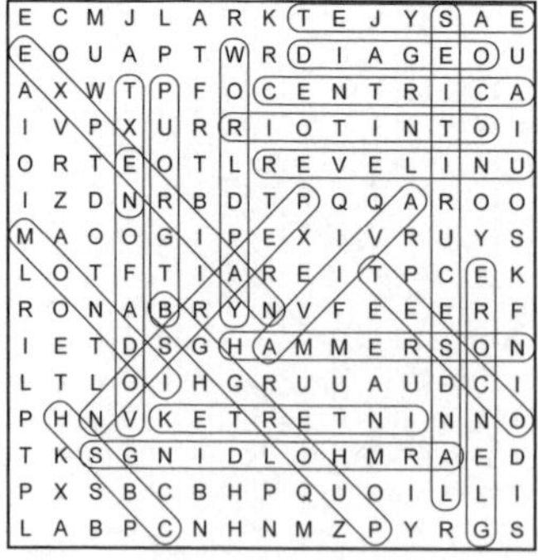

Solution 42

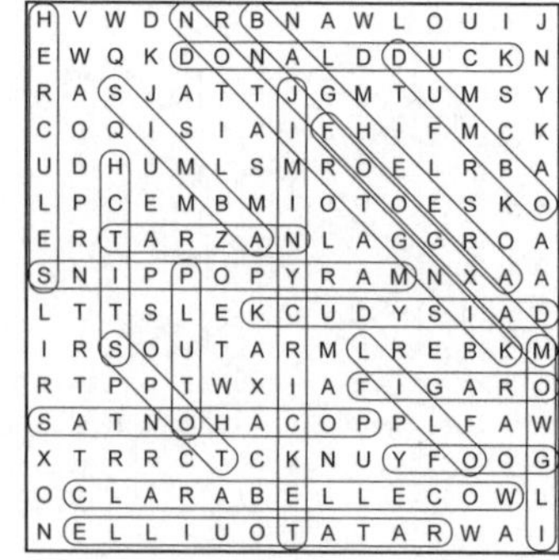

SOLUTIONS

Solution 43

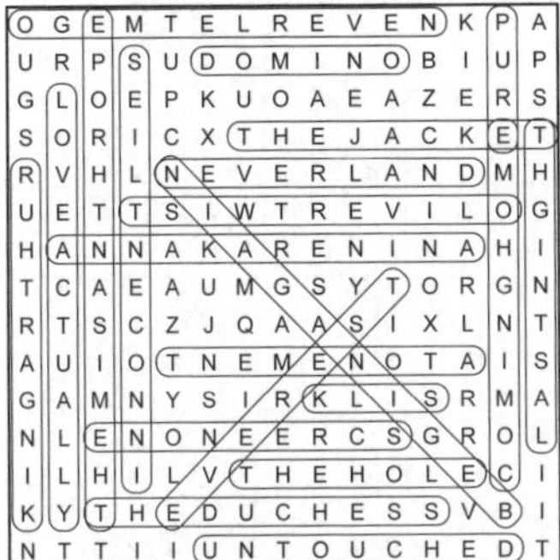

Solution 44

Solution 45

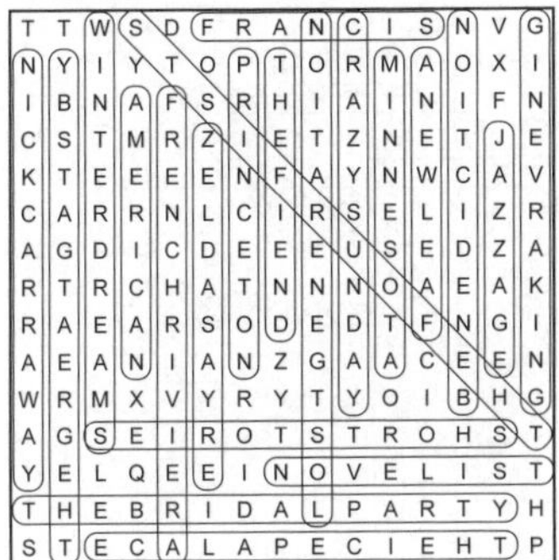

Solution 46

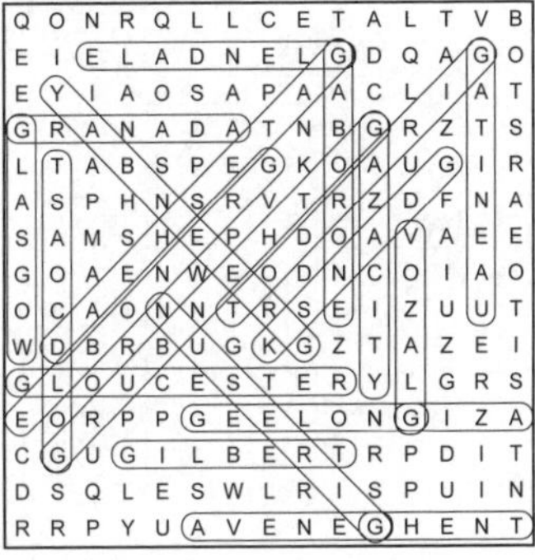

Solution 47

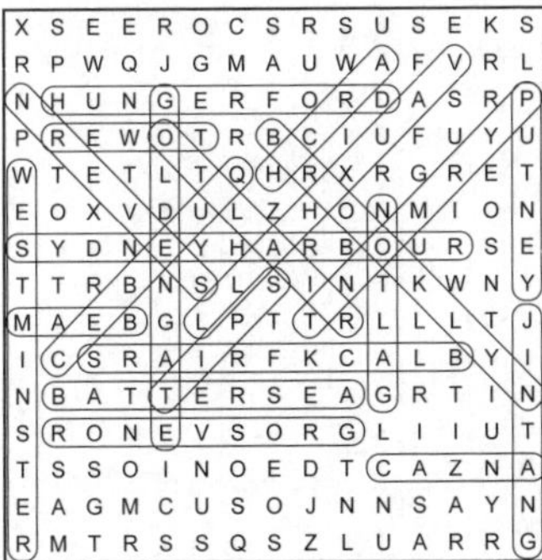

Solution 48

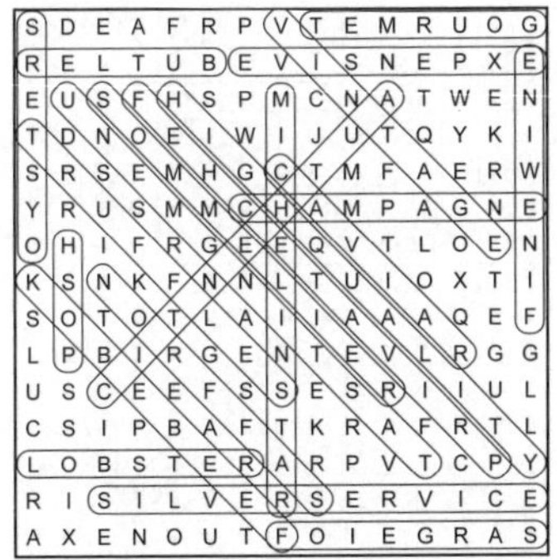

SOLUTIONS

WORDSEARCH

Solution 49

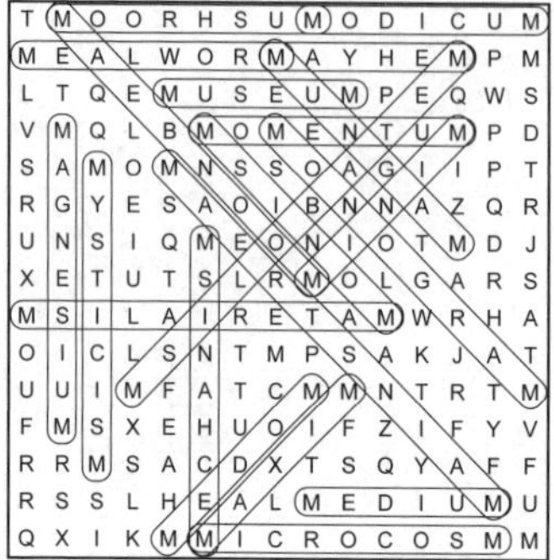

Solution 50

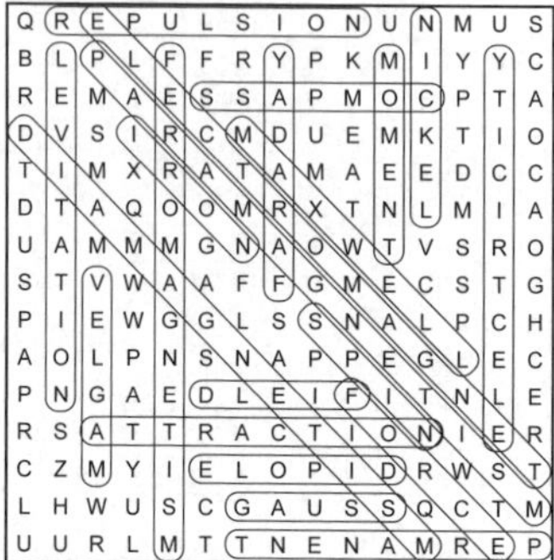

Solution 51

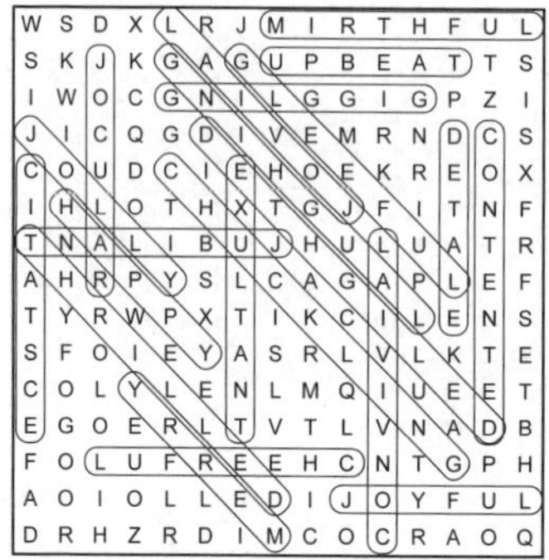

Solution 52

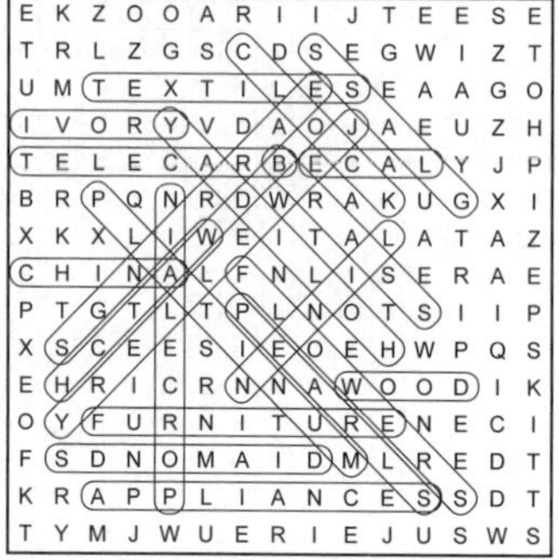

Solution 53

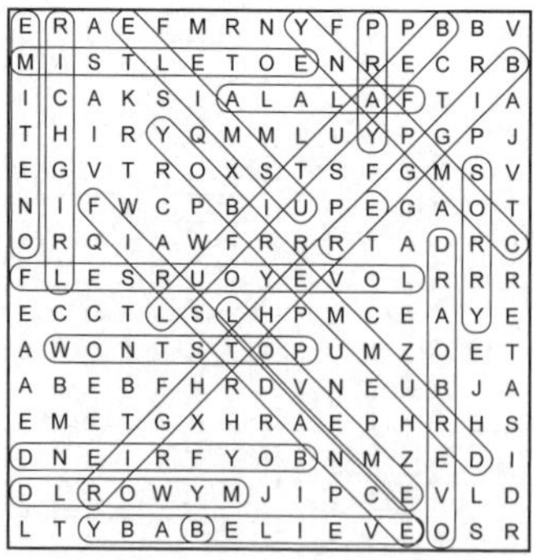

Solution 54

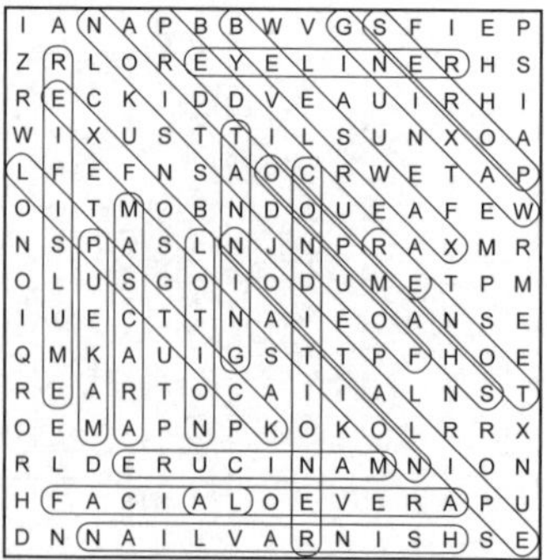

SOLUTIONS

Solution 55

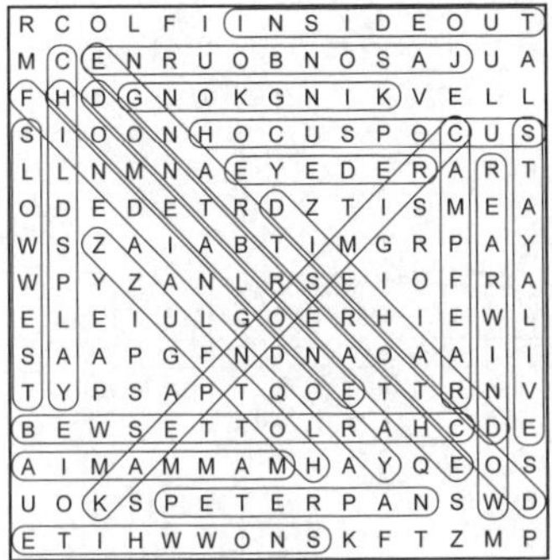

Solution 56

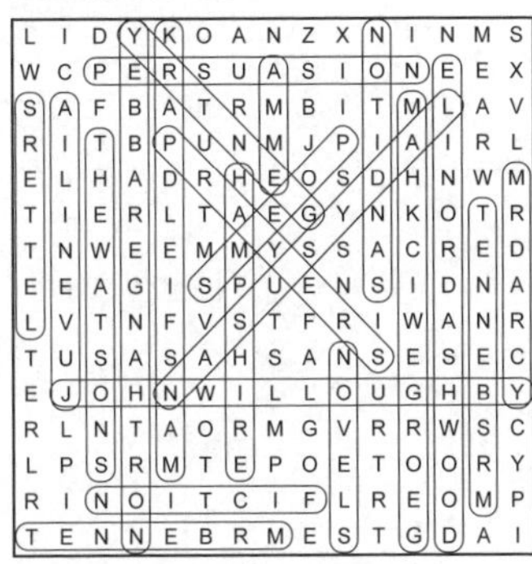

Solution 57

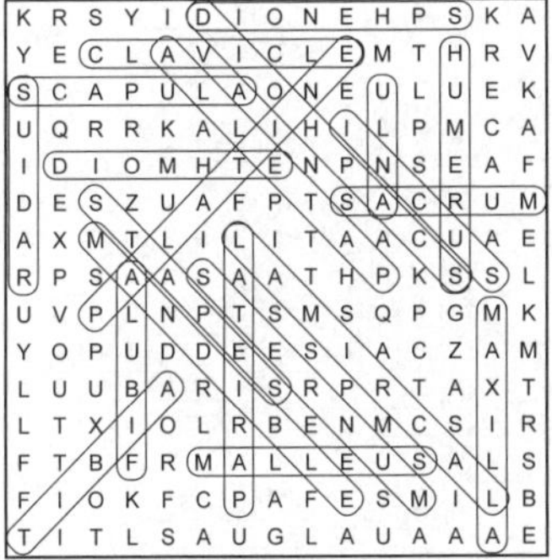

Solution 58

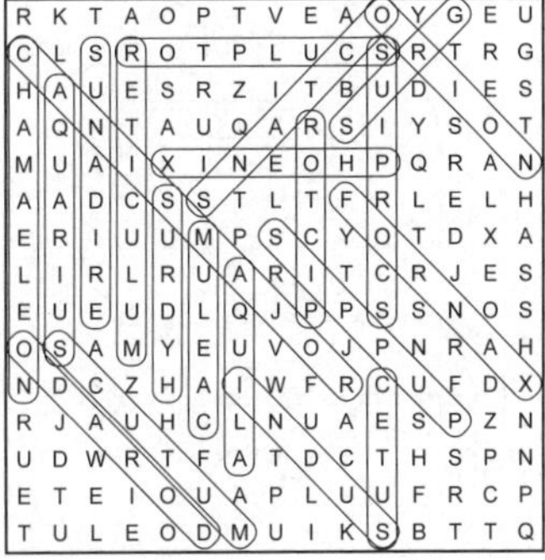

Solution 59

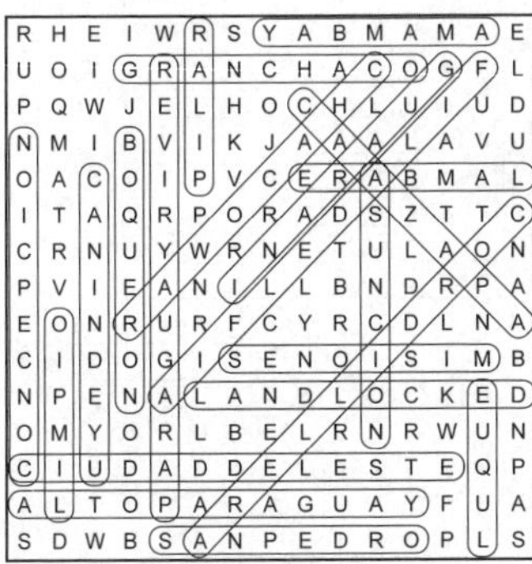

Solution 60

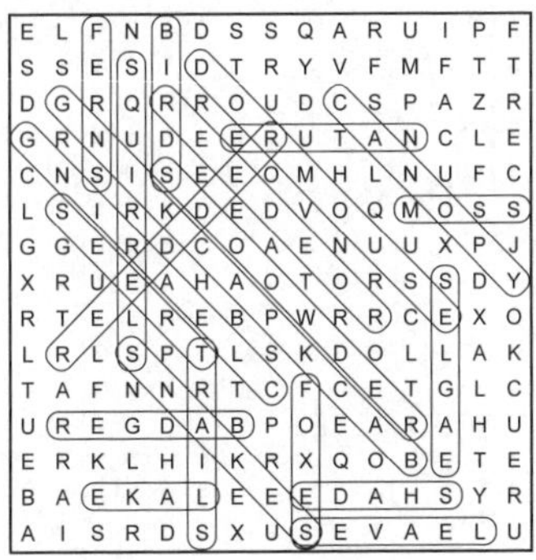

SOLUTIONS

Solution 61

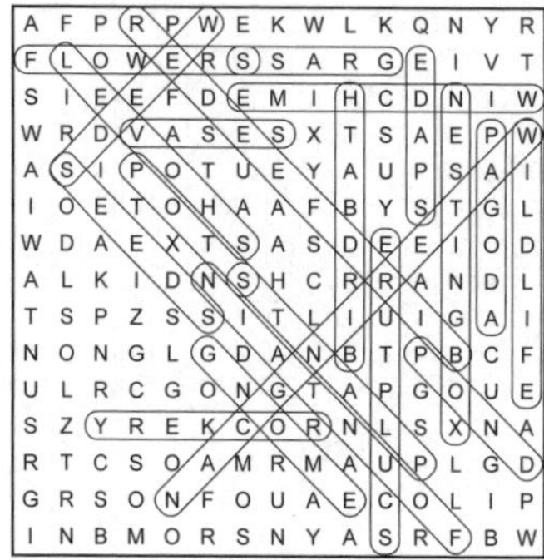

Solution 62

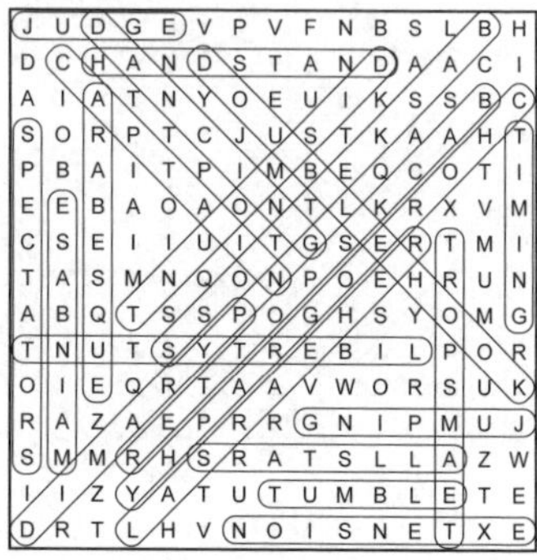

Solution 63

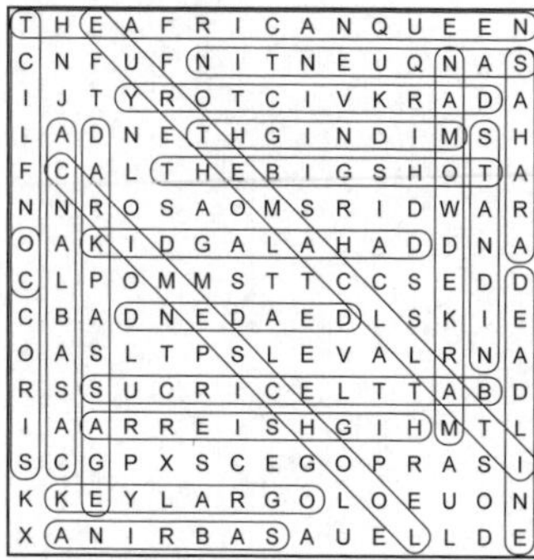

Solution 64

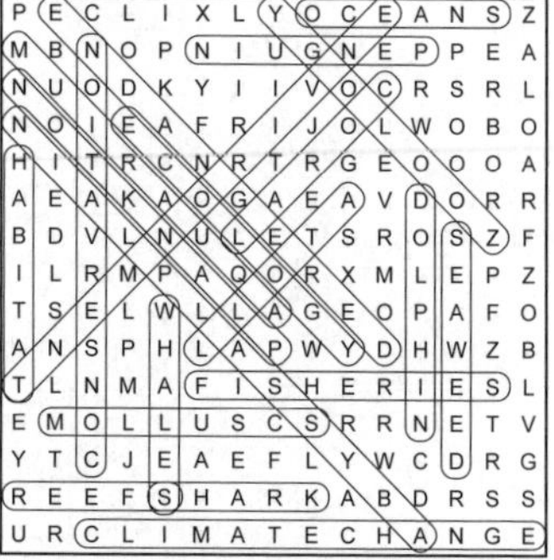

Solution 65

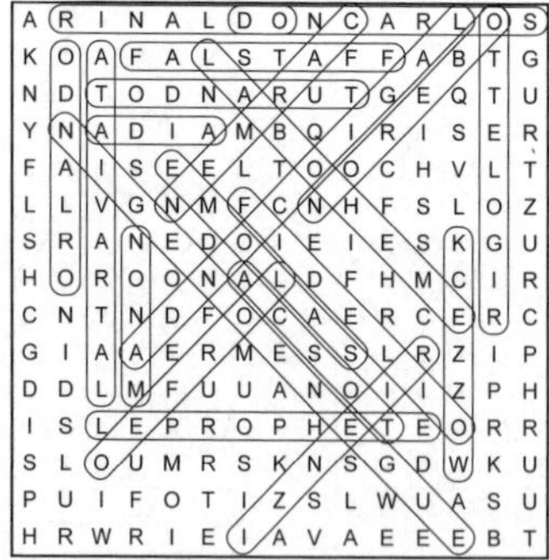

Solution 66

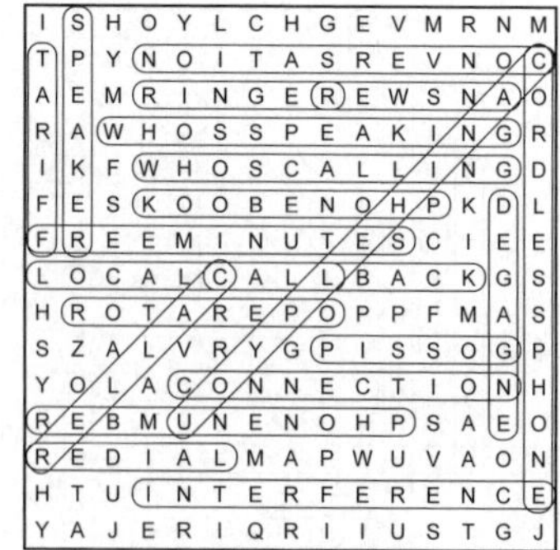

SOLUTIONS

Solution 67

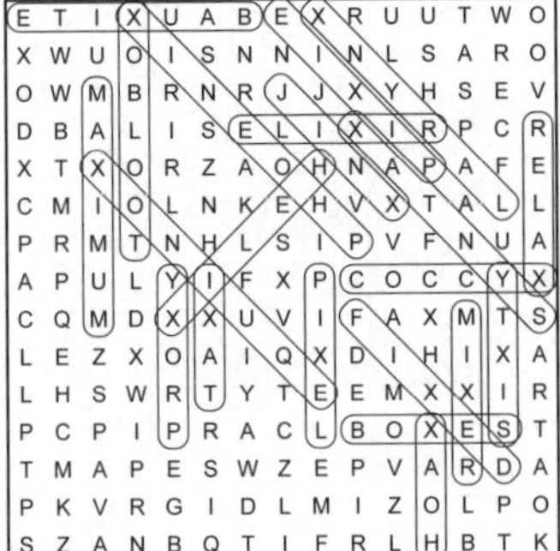

Solution 68

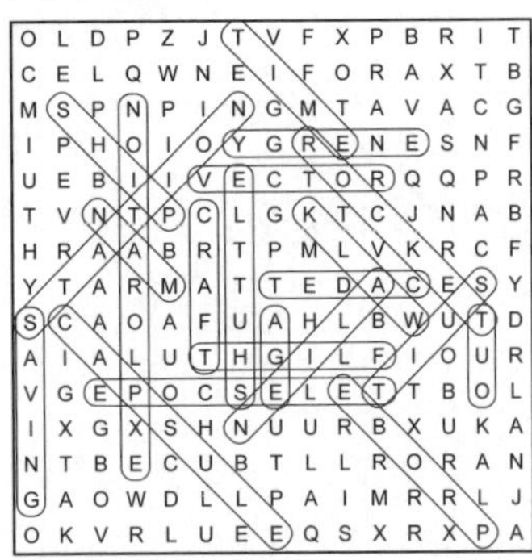

Solution 69

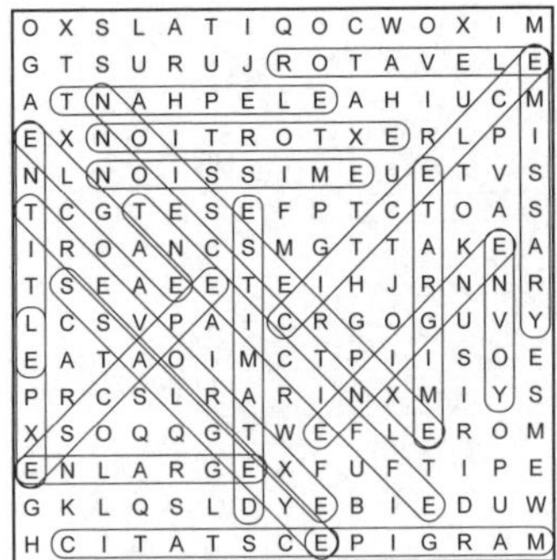

Solution 70

Solution 71

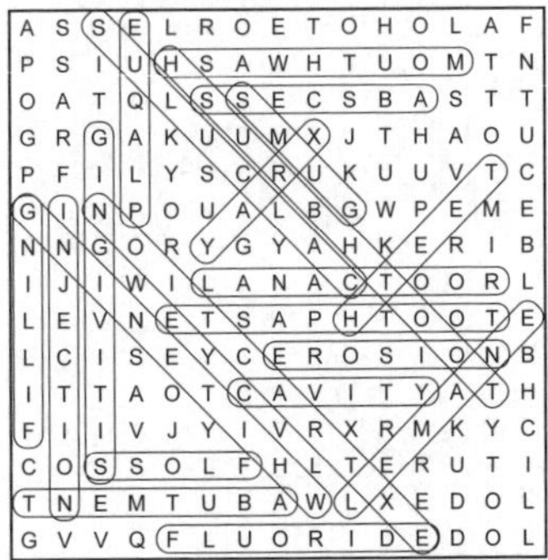

Solution 72

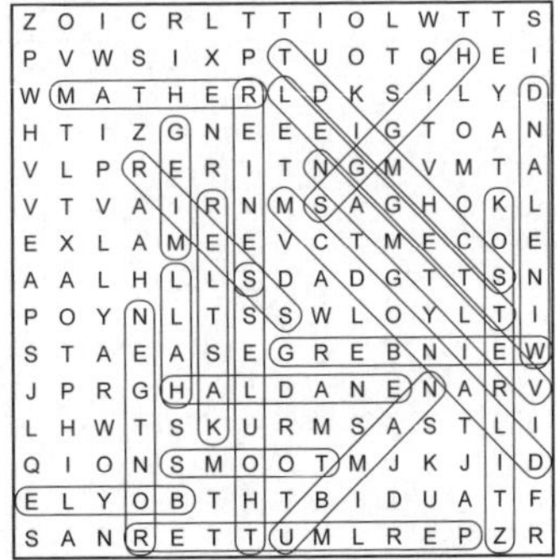

WORDSEARCH

SOLUTIONS

Solution 73

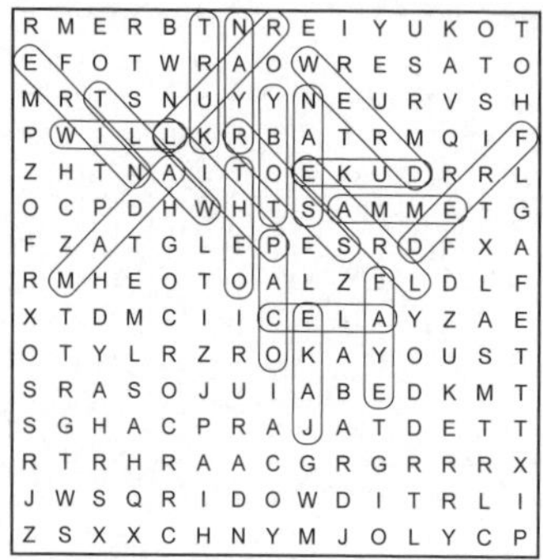

Solution 74

Solution 75

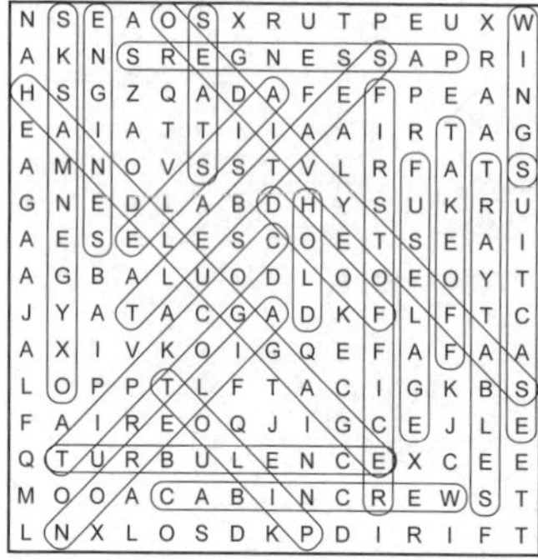

Solution 76

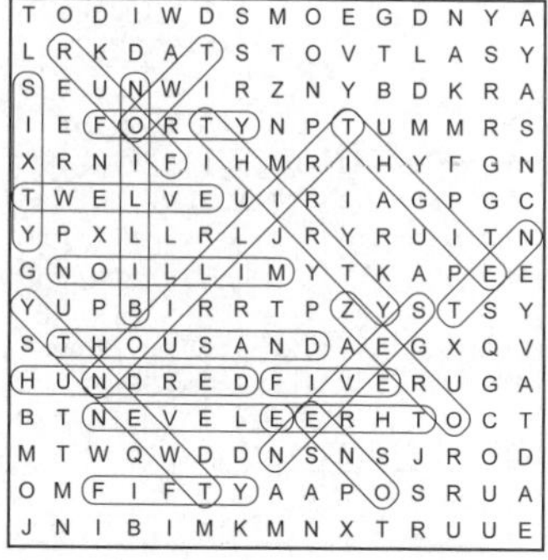

Solution 77

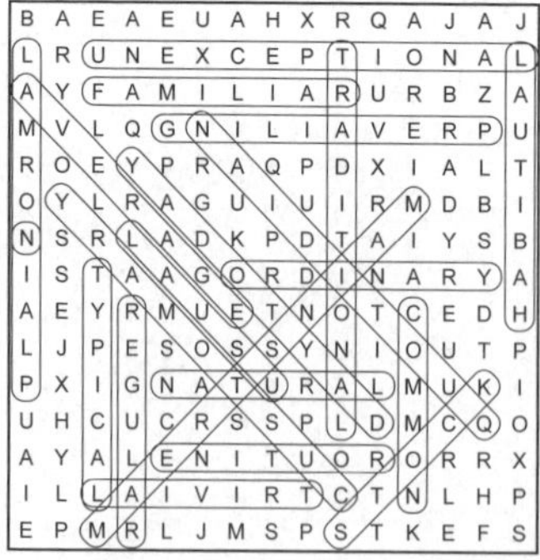

Solution 78

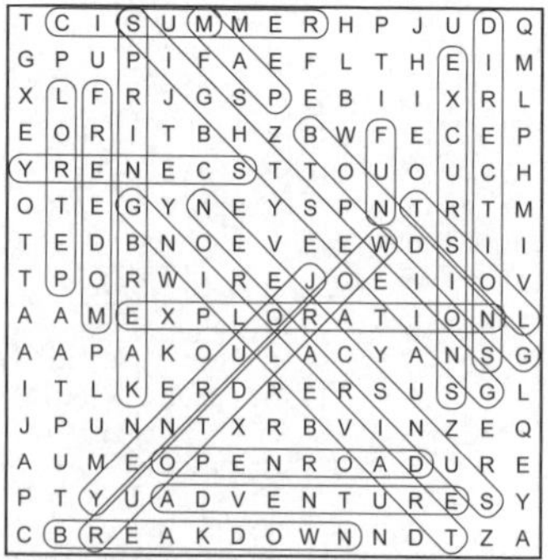

SOLUTIONS

WORDSEARCH

Solution 79

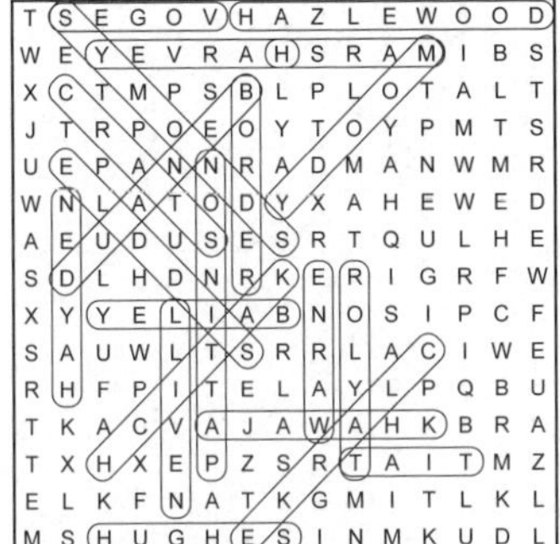

Solution 80

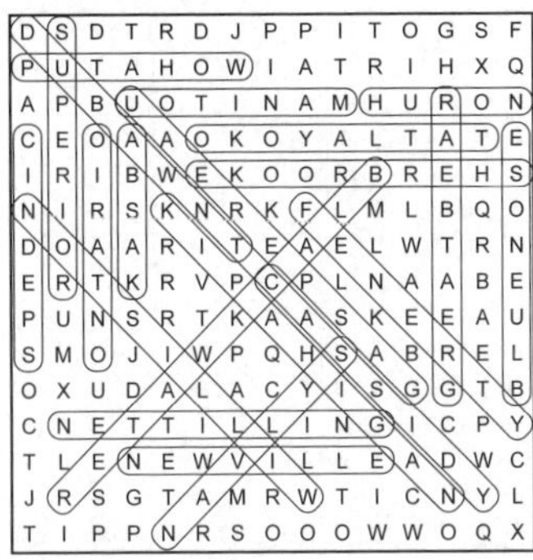

Solution 81

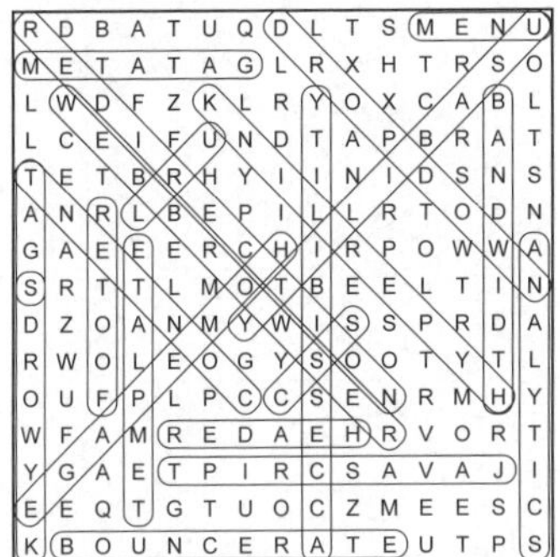

Solution 82

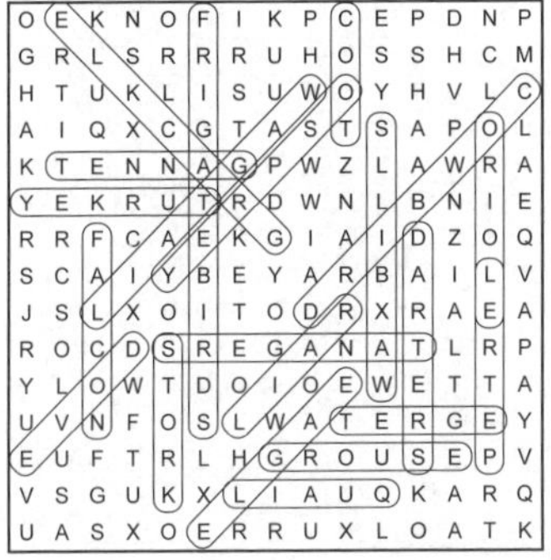

Solution 83

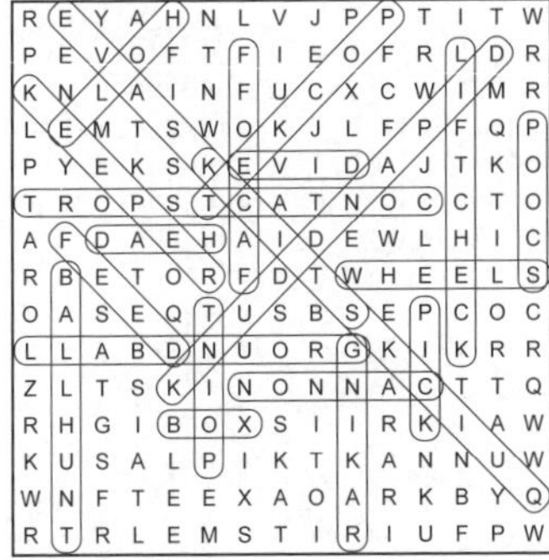

Solution 84

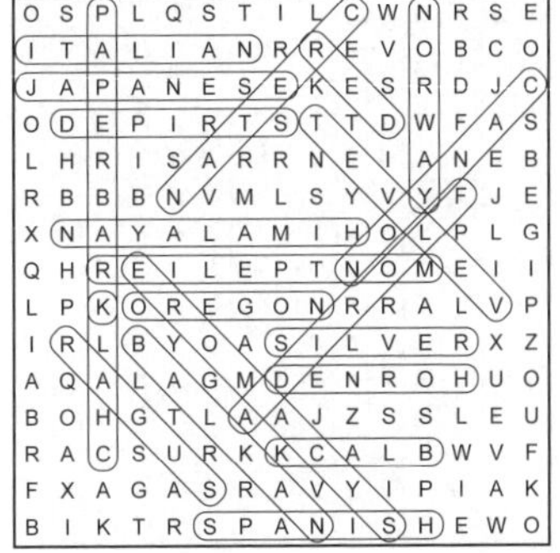

SOLUTIONS

Solution 85

Solution 86

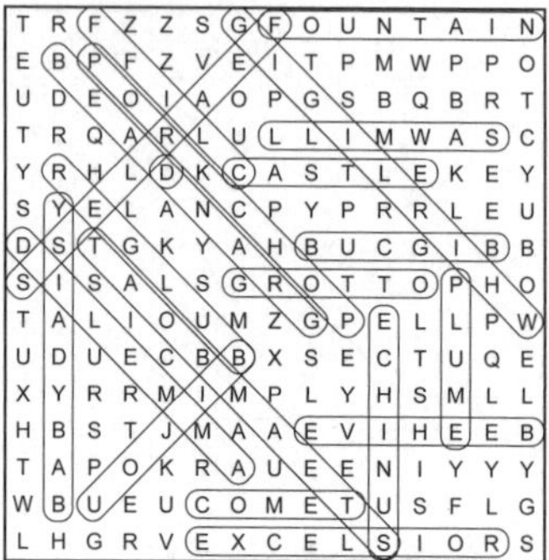

Solution 87

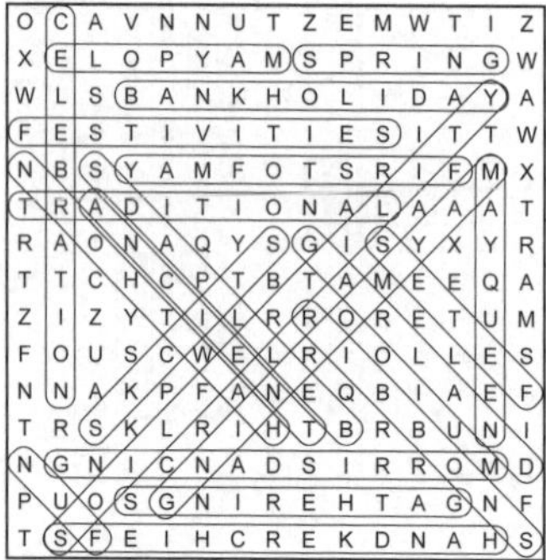

Solution 88

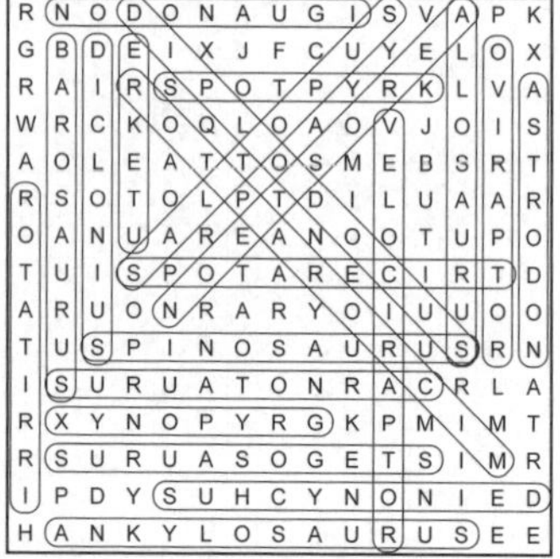

Solution 89

Solution 90

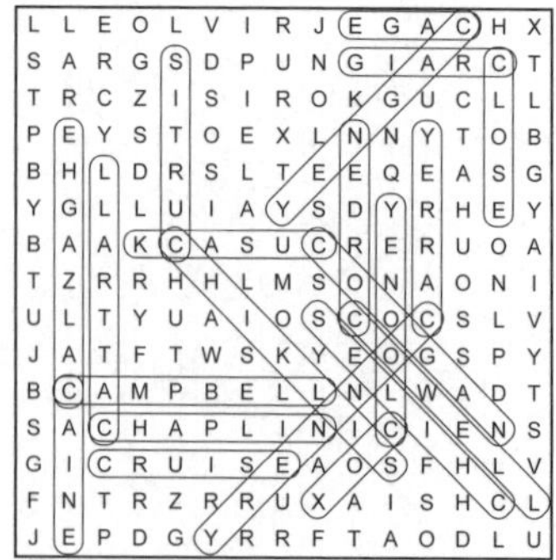

SOLUTIONS

Solution 91

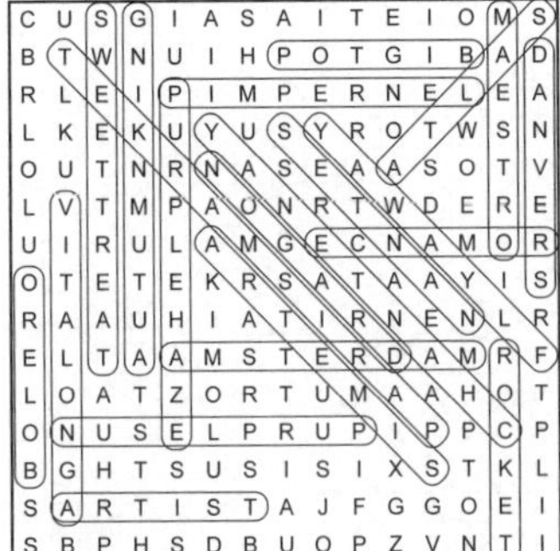

Solution 92

Solution 93

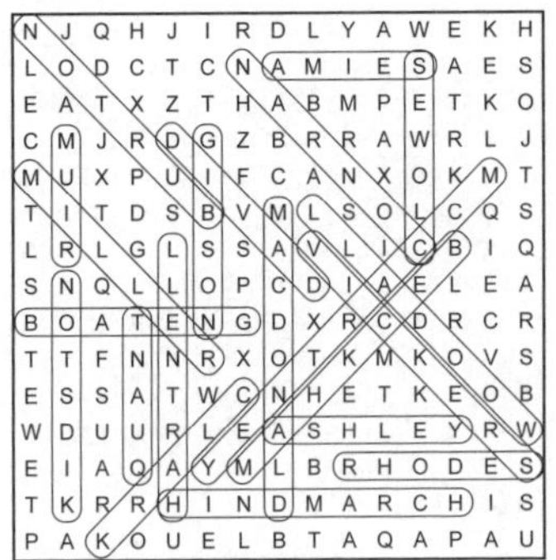

Solution 94

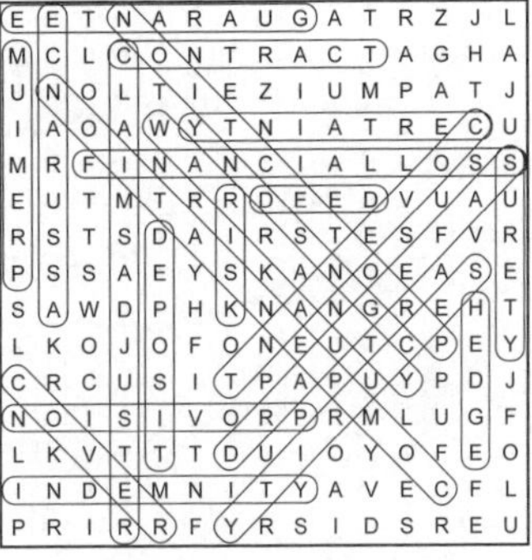

Solution 95

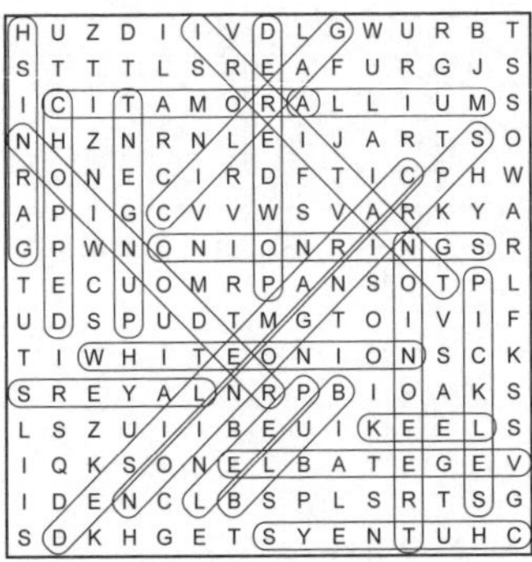

Solution 96

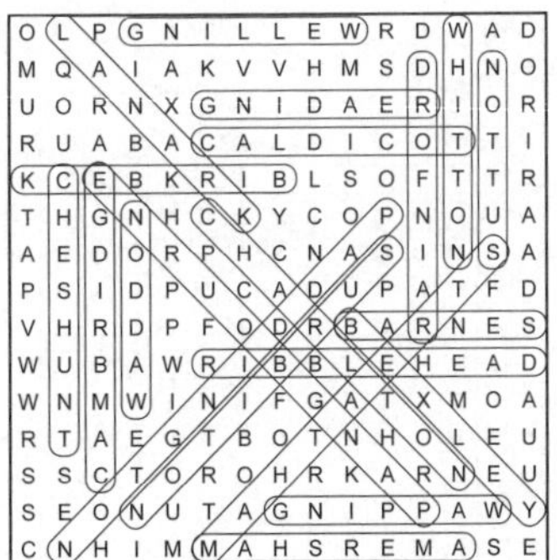

WORDSEARCH

SOLUTIONS

Solution 97

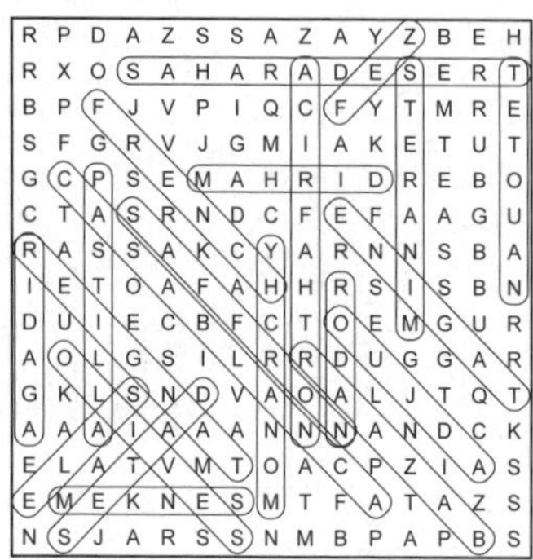

Solution 98

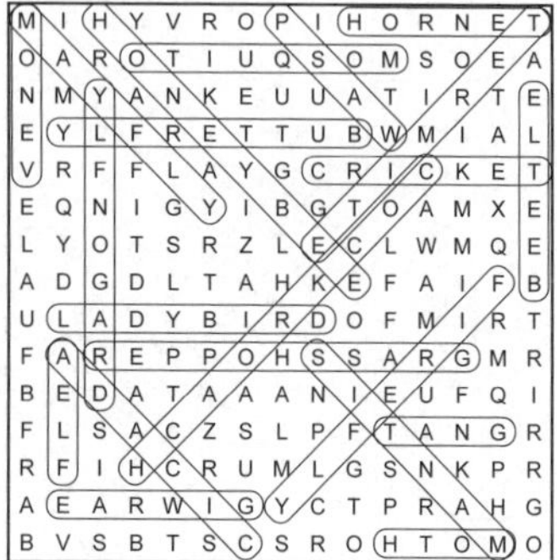

Solution 99

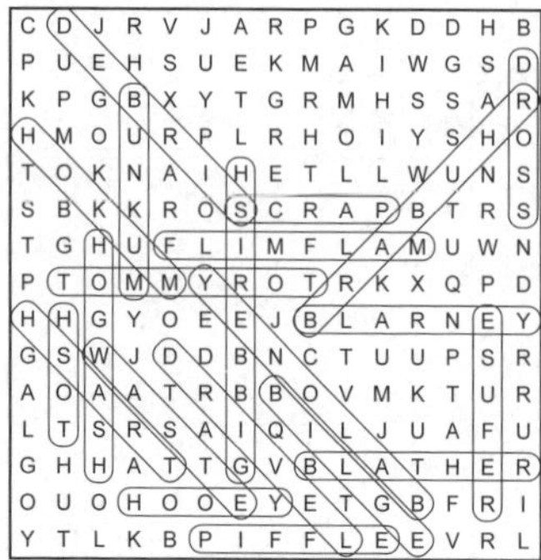

Solution 100

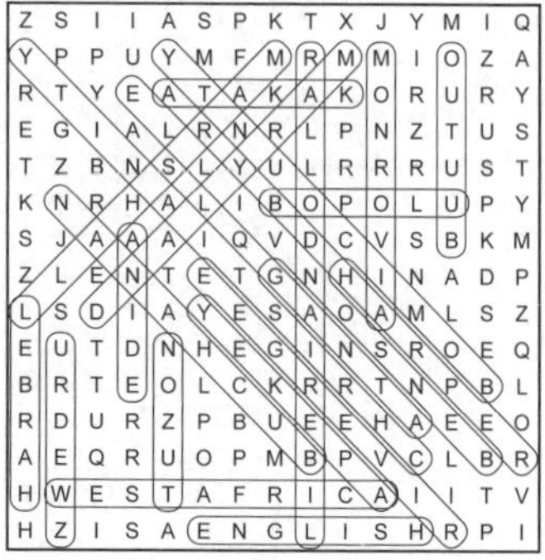

Solution 101

Solution 102

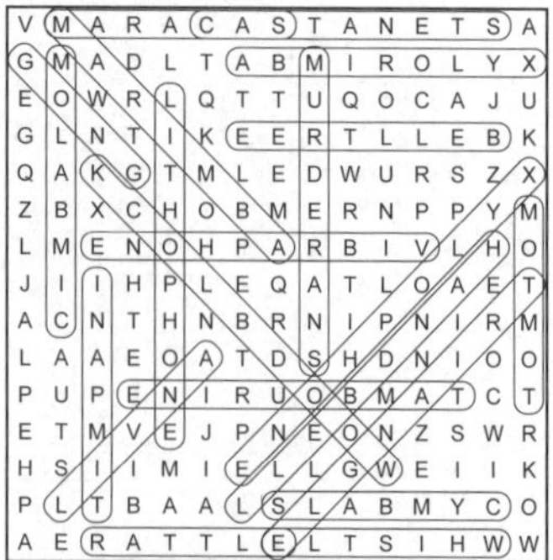

SOLUTIONS

Solution 103

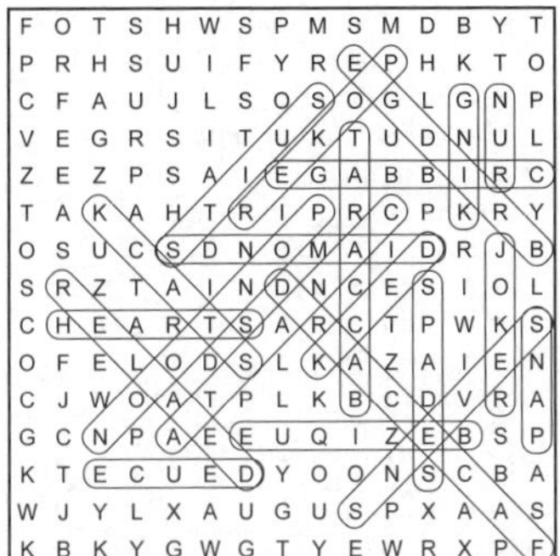

Solution 104

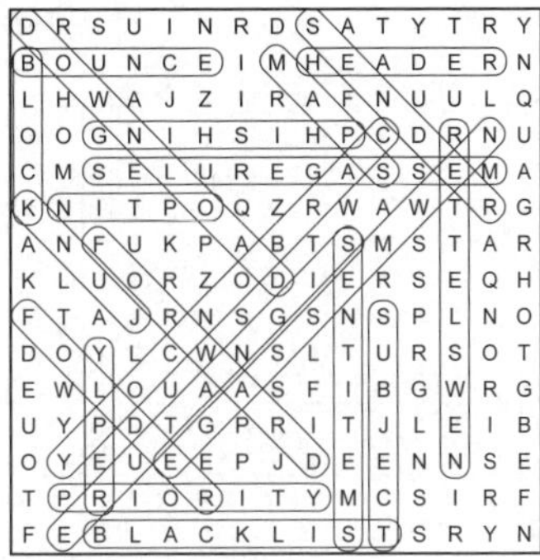

Solution 105

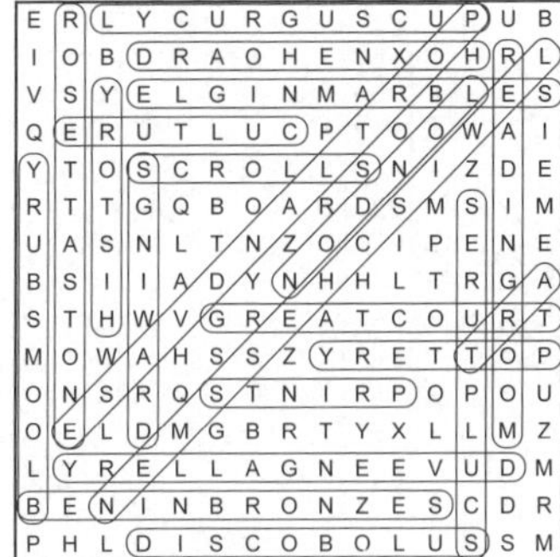

Solution 106

Solution 107

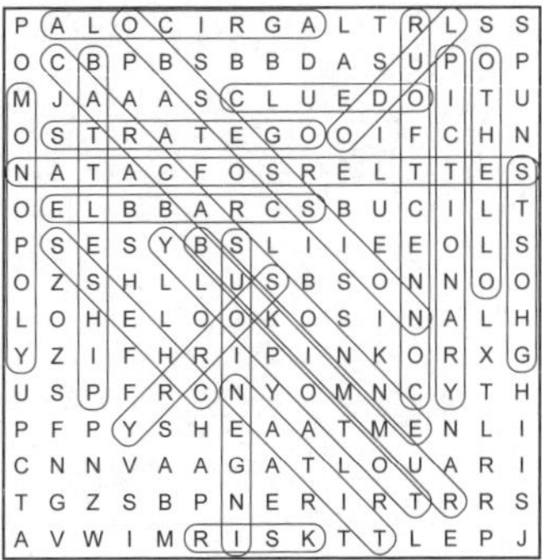

Solution 108

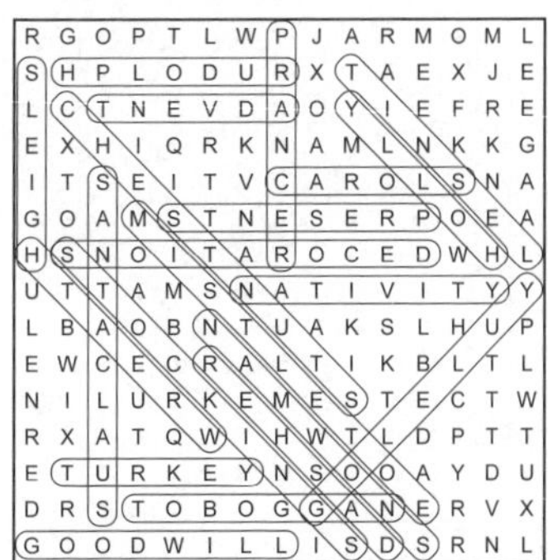

SOLUTIONS

Solution 109

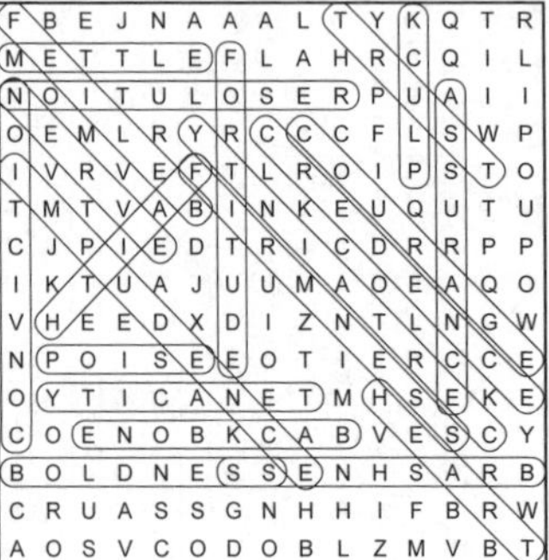

Solution 110

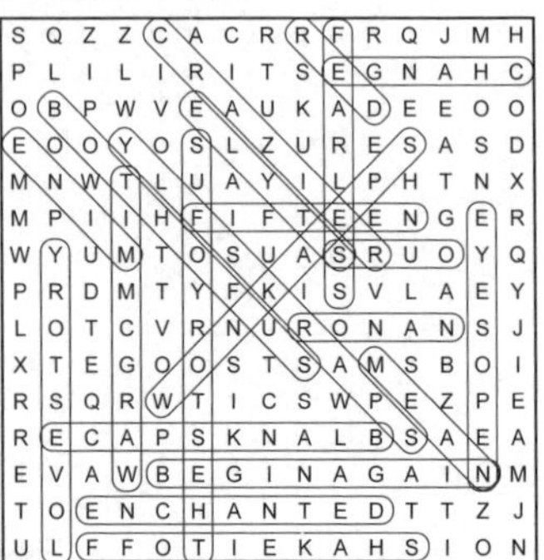

Solution 111

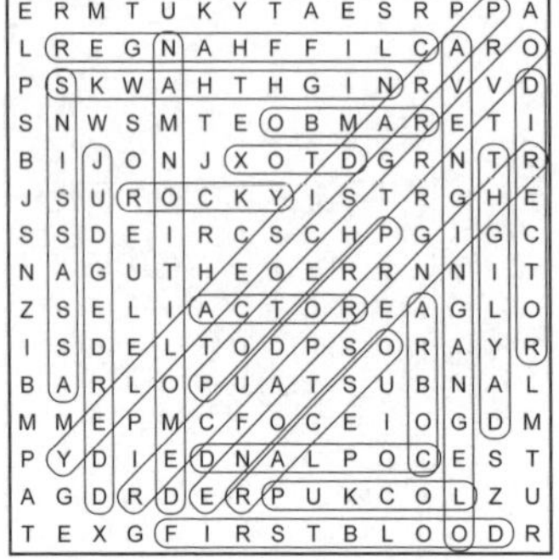

Solution 112

Solution 113

Solution 114

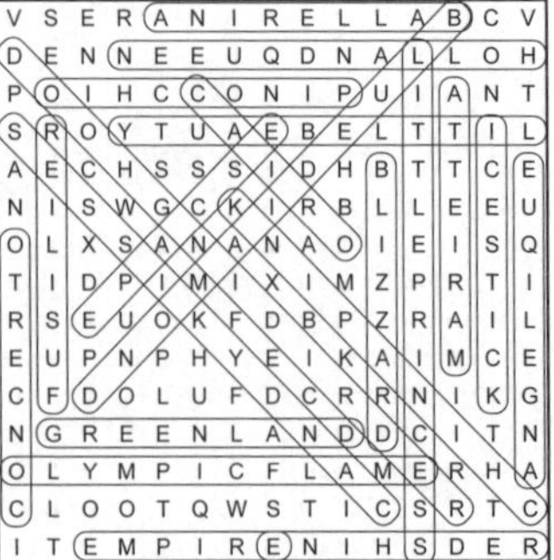

SOLUTIONS

Solution 115

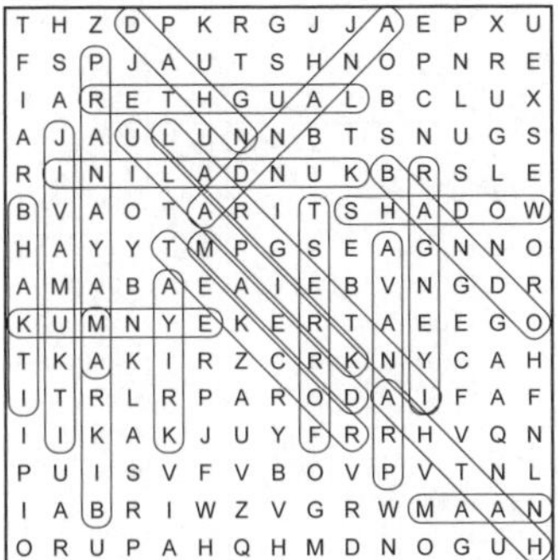

Solution 116

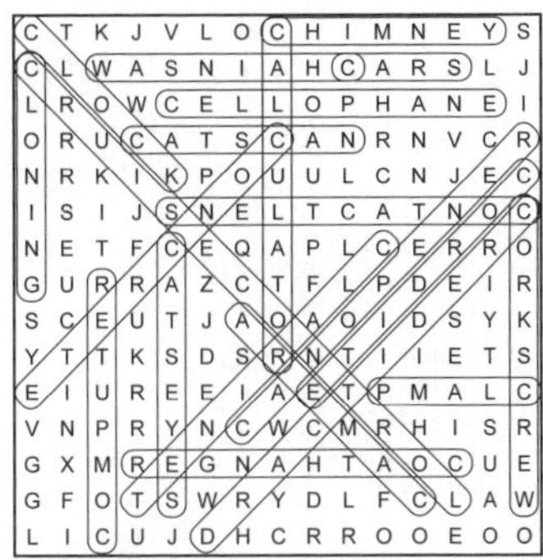

Solution 117

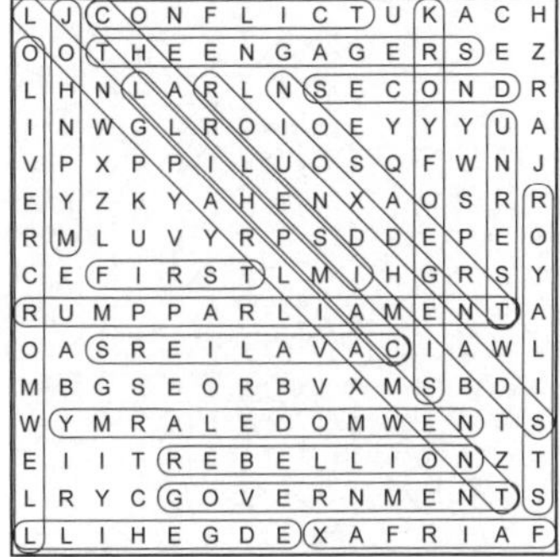

Solution 118

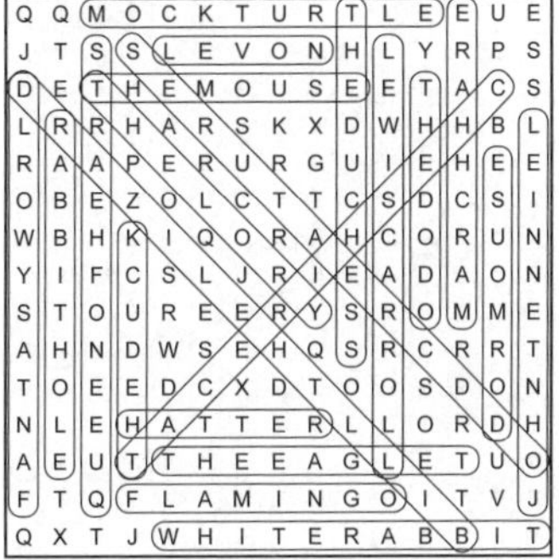

Solution 119

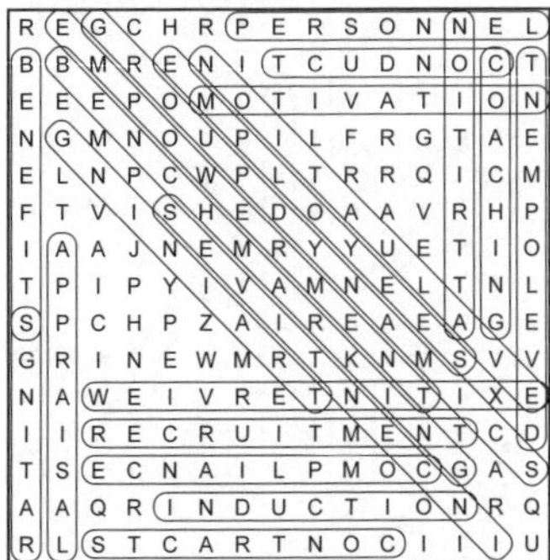

Solution 120

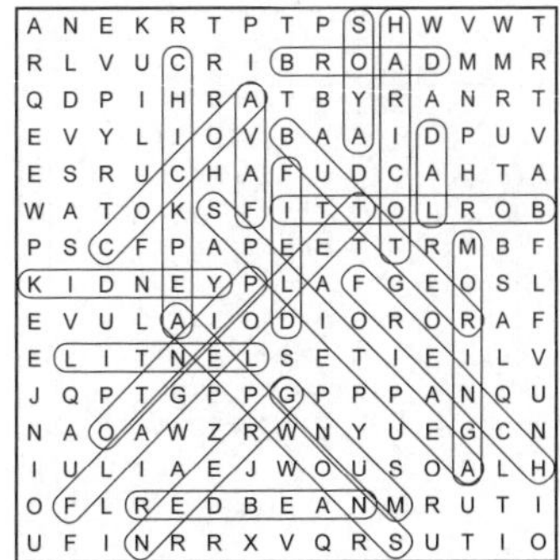

WORDSEARCH

SOLUTIONS

Solution 121

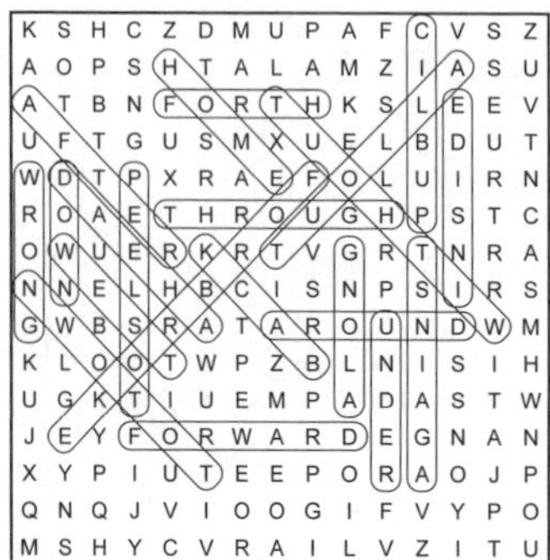

Solution 122

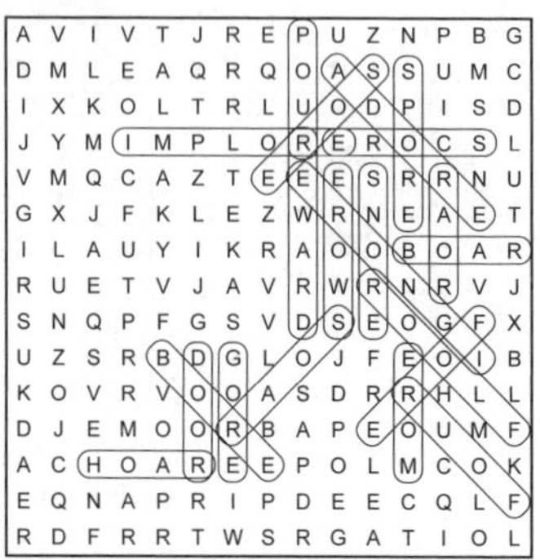

Solution 123

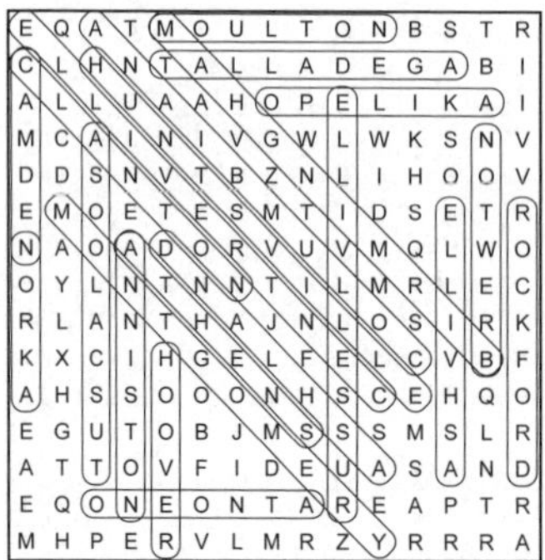

Solution 124

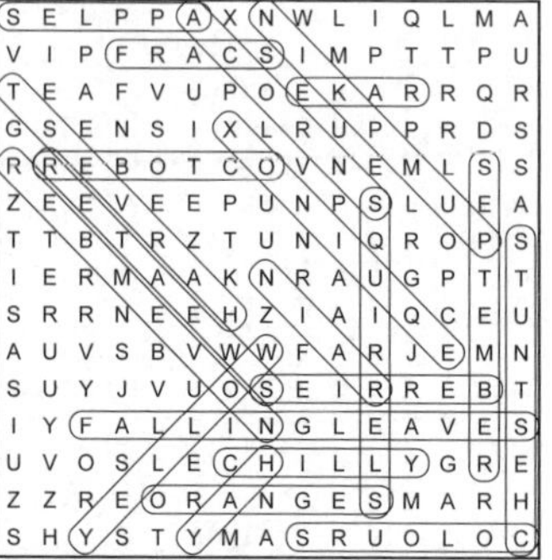

Solution 125

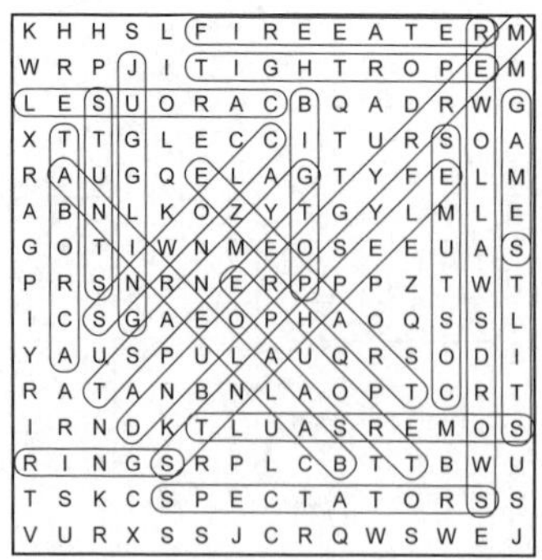

Solution 126

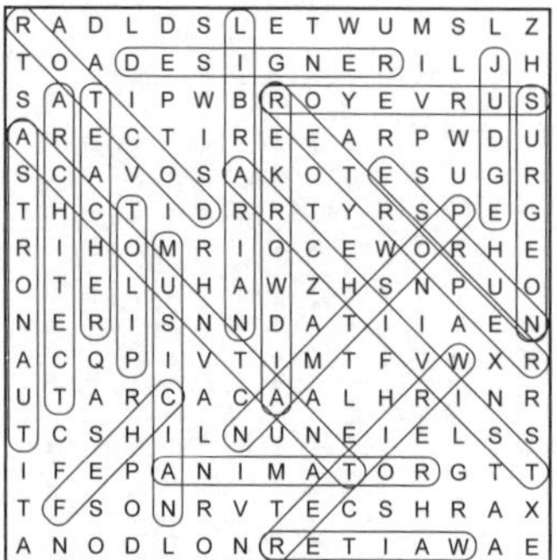

SOLUTIONS

Solution 127

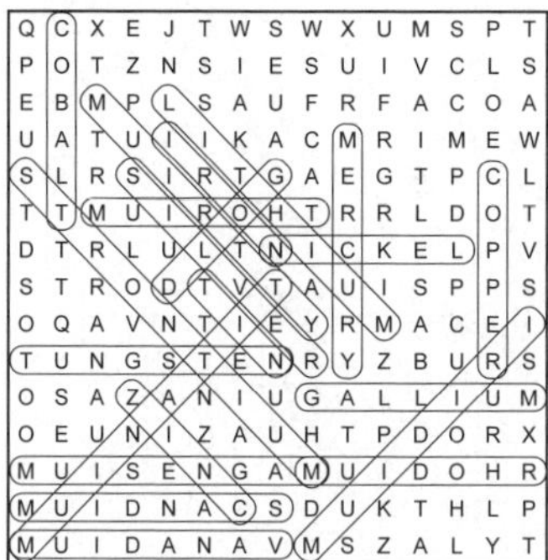

Solution 128

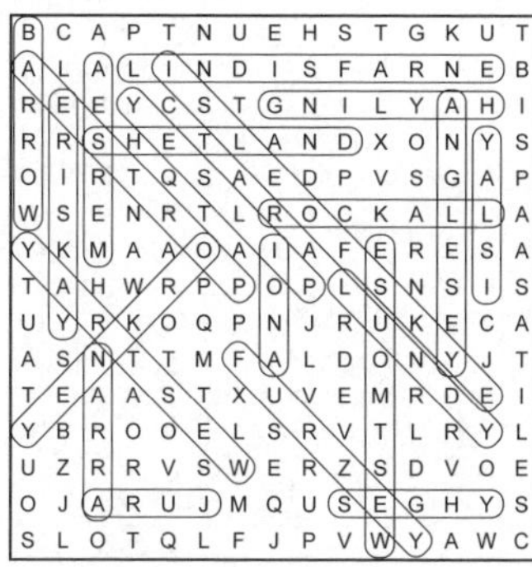

Solution 129

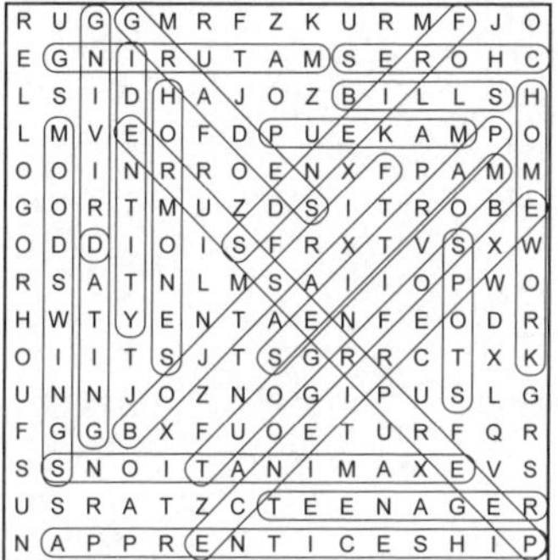

Solution 130

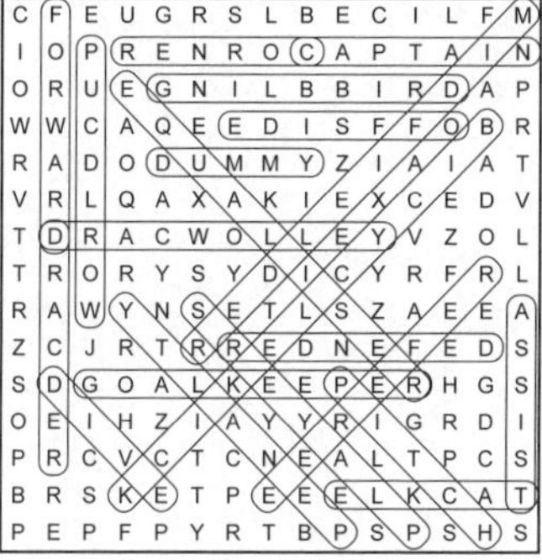

Solution 131

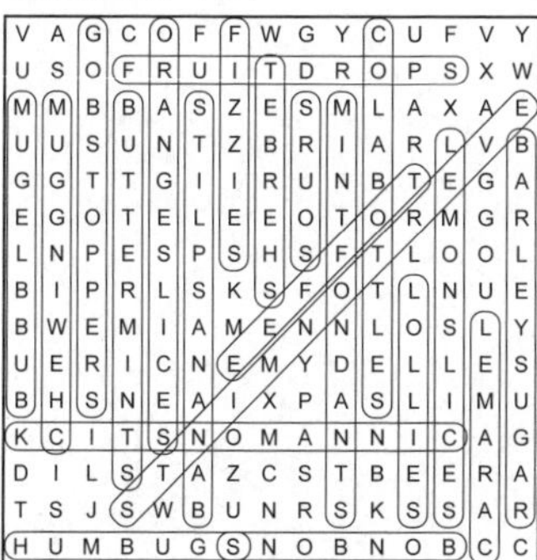

Solution 132

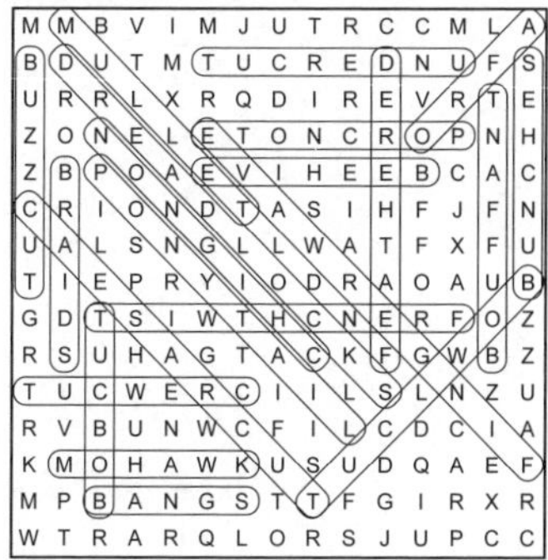

SOLUTIONS

Solution 133

T	E	N	A	E	F	I	R	E	F	O	X	L	S	Y
J	V	G	O	U	G	N	I	L	E	G	N	A	H	C
R	R	E	D	I	R	E	L	A	P	G	N	M	R	O
A	R	E	C	U	D	O	R	P	R	F	A	E	R	K
W	I	Y	V	R	H	P	M	S	R	P	I	R	O	E
H	U	C	R	I	C	A	D	A	T	J	O	I	T	R
I	N	N	A	R	R	D	N	I	Y	W	T	C	C	E
D	F	G	T	L	A	C	G	G	D	O	P	A	E	T
E	O	O	A	Q	I	H	I	Y	E	R	R	N	R	F
L	R	B	K	S	T	F	Y	T	O	M	T	S	I	A
I	G	R	C	R	U	A	O	T	S	S	H	N	D	E
O	I	O	O	R	T	L	C	R	R	Y	J	I	P	R
L	V	P	T	E	N	A	L	M	N	I	M	P	G	E
J	E	R	S	E	Y	B	O	Y	S	I	D	E	F	H
N	N	A	Q	O	N	I	R	O	T	N	A	R	G	E

Solution 134

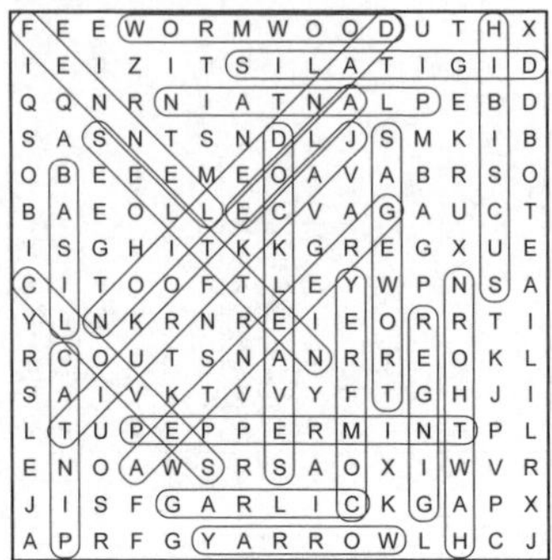